D1634267

FAVOURITE SCOTTISH SONG LYRICS

Favourite Scottish Song Lyrics

Selected by

Gordon Wright

GORDON WRIGHT PUBLISHING
55 MARCHMONT ROAD, EDINBURGH, EH9 1HT
SCOTLAND

Cover illustration by Jim Baikie

British Library Cataloguing in Publication Data

Favourite Scottish Song Lyrics
1. Folk-songs, Scottish
I. Wright, Gordon
784.4'9411 MT1746

ISBN 0-903065 45 2

Typeset by Jo Kennedy
Printed by Forsyth Middleton & Co. Ltd, Kilsyth

Contents

'Silver Darlings' Halfin, Hulskramer and McLean

Oh! herrings are harvests that fishermen glean
Where flashes the silver through deep ocean green
But when herring harvests reach old Aberdeen
They're known as the silver darlings.

Silver darlings on Aberdeen Quay
Brought by the fishermen home from the sea
To the city that stands 'twixt the Don and the Dee
The home of the silver darlings.

The boats leave the harbour their wakes spreading white
And empty they roll with the swell of the tide
Oh soon may their hatches be thrown open wide
For a catch of the silver darlings.

With ice in the rigging and Death down below
The gales screaming wild and the glass hanging low
The wives and the sweethearts are women who know
The price of the silver darlings.

Ye Jacobites Trad.

Ye Jacobites by name lend an ear, lend an ear,
Ye Jacobites by name lend an ear,
Ye Jacobites by name yer faults I will proclaim,
Yer doctrines I maun blame, you will hear, you will hear,
Yer doctrines I maun blame, I maun blame.

What is right what is wrong, by the law, by the law,
What is right what is wrong, by the law,
What is right what is wrong, the weak airm and the strong,
The short sword and the long for to draw, for to draw,
The short sword and the long for to draw.

What makes heroic strife famed afar, famed afar,
What makes heroic strife famed afar,
What makes heroic strife, tae whet the assassin's knife,
And haunt a parent's life wi' bloody war, bloody war.
And haunt a parent's life wi' bloody war.

So let yer schemes alone in the state, in the state,
Let yer schemes alone in the state.
So let yer schemes alone, adore the Rising Sun,
And leave a man undone tae his fate, tae his fate,
And leave a man undone tae his fate.

Peggy Gordon Trad.

O Peggy Gordon you are my darling,
Come sit ye doon upon my knee,
And tell tae me the very reason,
Why I am slighted so by thee.

I am in love I can not deny it,
My heart lies troubled in my breast,
It's not for me to let the world know it,
A troubled heart can find no rest.

I put my head tae a cask o' brandy,
It was my fancy so to do,
For when I'm drinking I'm seldom thinking,
And wishing Peggy Gordon was here.

I wish I was away in Ingol,
Far across the briny sea,
Sailing over the deepest ocean,
Where love and care ne'er bother me.

I wish I was in a lonely valley,
Where women kind can not be found,
Where all the small birds they change their voices,
And every moment a different sound.

Bogie's Bonnie Belle Trad.

Ae Whitsun day in Huntly toon, it's there I did agree,
Wi' Bogie head o' Carnie a six months for tae fee;
Tae drive his twa best horses, likewise his cairt and ploo',
An' tae dae a'thing aboot farm work that richt weel I can do.

Noo Bogie had a dochter wha's name was Isabel;
The flower o' her nation, there's nane her could excel.
She had rosy cheeks and ruby lips and hair o' darkish hue;
She was neat, complete and handsome, and comely for to view.

One day she went a-rambling and chose me for her guide,
Tae tak' a pleasant walk wi' her along by Carnie side.
I slipped my airm aboot her waist an' tae the ground did slide,
An' it's there I had my first braw nicht wi' the Belle o' Bogieside.

Ere twenty weeks had passed and gone this lassie lost her bloom.
Her rosy cheeks grew pale and wan and she began tae swoon.
Ere forty weeks had passed and gone this lass brocht forth a son,
And I was quickly sent for, tae see what could be done.

Aul' Bogie heard the story and cried 'I am undone.
Since ye've beguiled my dochter, my sorrows are begun.'
I said 'Aul' man ye're fairly richt,' and hung my heid wi' shame,
'I'll marry Belle the mornin' and gie the bairn my name.'

But though I'd said I'd wed the lass, oh no that widnae dee:
'Ye're nae a fittin' match for Belle, nor she a match for ye.'
He sent me packin' doon the road, wi' nae penny o' my fee,
Sae a' ye lads o' Huntly toon a lang fareweel tae ye.

But noo she's mairried a tinkler lad wha's name is Soutar John;
He hawks his pans an' ladles aroon by Foggie Loan,
An' maybe she's gotten a better match, aul' Bogie canna tell,
But it's me wha's ta'en the maidenheid o' Bogie's Bonnie Belle.

The Bonnets o' Bonnie Dundee

Sir Walter Scott

Tae the Lords o' Convention 'twas Claverhouse spoke,
E'er the King's crown go down there are crowns to be broke,
So each cavalier who loves honour and me,
Let him follow the bonnets o' Bonnie Dundee.

Come fill up my cup, come fill up my can,
Come saddle my horses and call out my men;
Unhook the West Port and let us gae free,
For it's up wi' the bonnets o' Bonnie Dundee.

Dundee he is mounted and he rides up the street,
The bells they ring backward and the drums they are beat,
But the provost douce man says 'Just let it be,
For the toon is weel rid o' that devil Dundee.'

There are hills beyond Pentland and lands beyond Forth,
If there are lords in the south, there are chiefs in the north,
There are brave duine-wassals three thousand times three,
Cry 'Hey for the bonnets o' Bonnie Dundee.'

So awa tae the hills, tae the lee and the rocks,
Ere I own a usurper I'll crouch with the fox,
So tremble false whigs in the midst o' yir glee,
For ye've no seen the last o' my bonnets and me.

Sound the Pibroch Mrs. N. MacLeod

Sound the pibroch loud on high,
Frae John o' Groats tae Isle o' Skye,
Let ev'ry clan their slogan cry,
Rise and follow Chairlie.

Hatcheen foam, foam, foam,
Hatcheen foam, foam, foam,
Hatcheen foam, foam, foam,
Rise and follow Chairlie.

From every hill and every glen,
Are gathering fast the loyal men,
They grasp their dirks and shout again,
Hurrah for Royal Chairlie.

On dark Culloden's field of gore,
Hark they shout Claymore, Claymore,
They bravely fight what can they more,
Than die for Royal Chairlie.

Now on the barren heath they lie,
Their Funeral Dirge the eagle's cry,
And mountain breezes o'er them sigh,
Wha' fought and died for Chairlie.

No more we'll see such deeds again,
Deserted is each highland glen,
And ye lonely cairns are o'er the men,
Wha' fought and died for Chairlie.

Mormond Braes Trad.

As I gaed doon by Strichen toon,
I heard a fair maid mournin',
And she was makin' sair complaint
For her true love ne'er returnin'.

Sae fare ye weel, ye Mormond Braes,
Where aft-times I've been cheery;
Fare ye weel, ye Mormond Braes,
For it's there I've lost my dearie.

There's as guid fish intae the sea
As ever yet was taken,
So I'll cast my net and try again
For I'm only aince forsaken.

There's mony a horse has snappert an' fa'n
An' risen again fu' rarely,
There's mony a lass has lost her lad
An' gotten anither richt early.

Sae I'll put on my goon o' green,
It's a forsaken token,
An' that will let the young lads ken
That the bonds o' love are broken.

Sae I'll gyang back tae Strichen toon,
Whaur I was bred an' born,
An' there I'll get anither sweetheart,
Will marry me the morn.

I Will Go   Roddy MacMillan

I will go, I will go,
When the fighting is over
To the land o' McLeod
That I left tae be a soldier.
I will go, I will go.

When the King's son came along
He called us a' thegither,
Saying, 'Brave Highland men,
Will ye fight for my father?'
I will go, I will go.

When we came back to the glen,
The winter was turning,
Our goods lay in the snow,
And our houses were burning.
I will go, I will go.

I've a buckle on my belt
A sword in my scabbard
A red coat on my back
And a shilling in my pocket
I will go, I will go.

When they put us all on board
The lasses were singing
But the tears came tae their eyes
When the bells started ringing
I will go, I will go.

When we landed on the shore
And saw the foreign heather
We knew that some would fall
And would stay there for ever
I will go, I will go.

Land o' the Leal Lady Nairne

I'm wearin' awa Jean,
Like snaw in the thaw Jean:
I'm wearin' awa tae the land o' the leal.
There's nae sorrow there Jean,
There's neither cauld nor care Jean,
The day is aye fair, in the land o' the leal.

Ye were aye guid and true Jean,
Your task's ended now Jean,
And I'll welcome you tae the land o' the leal.
Our bonnie bairnie's there Jean,
She was baith guid an' fair Jean,
And we grudged her sair tae the land o' the leal.

Then dry that tearfu' e'e Jean,
My soul langs tae be free Jean,
And angels wait on me, in the land o' the leal.
Now, fare ye weel my ain Jean,
This warld's care in vain Jean,
We'll meet and aye be fain in the land o' the leal.

Where is the Glasgow? Adam McNaughtan

Oh, where is the Glasgow where I used tae stey,
The white wally closes done up wi' pipe cley;
Where ye knew every neighbour frae first floor tae third,
And tae keep your door locked was considered absurd.
Do you know the folk steying next door tae you?

And where is the wee shop where I used tae buy
A quarter o' totties, a tuppenny pie,
A bag o' broken biscuits an' three totty scones,
An' the wumman aye asked, 'How's your maw gettin' on?'
Can your big supermarket gie service like that?

And where is the wean that once played in the street
Wi' a jorrie, a peerie, a gird wi' a cleek?
Can he still cadge a hudgie an' dreep aff a dyke,
Or is writing on walls noo the wan thing he likes?
Can he tell Chickie Mellie frae Hunch, Cuddy, Hunch?

And where is the tram-car that once did the ton
Up the Great Western Road on the old Yoker run?
The conductress aye knew how to deal wi' a nyaff—
'If ye're gaun, then get oan, if ye're no, then get aff!'
Are there ony like her on the buses the day?

And where is the chip shop that I knew sae well,
The wee corner cafe where they used tae sell
Hot peas and brae an' MacCallums an' pokes,
An' ye knew they were Tallies the minute they spoke:
'Dae ye want-a-da raspberry ower yer ice-cream?'

Oh, where is the Glasgow that I used tae know,
Big Willie, wee Shooey, the Steamie, the Co.,
The shilpet wee bauchle, the glaiket big dreep,
The ba' on the slates, an' yer gas in a peep?
If ye scrape the veneer aff, are these things still there?

Bonnie George Campbell   Trad.

High upon hielan's and laigh upon Tay,
Bonnie George Campbell rade oot on a day.
Saddled and bridled, sae gallant tae see,
Hame cam' his guid horse but never cam' he.

Saddled and bridled and booted rade he,
A plume in his helmet, a sword at his knee.
But doon cam' his saddle a' bluidy tae see,
Hame cam' his guid horse but never cam' he.

Doon ran his auld mither greetin' fu' sair,
Oot ran his bonnie bride reivin' her hair.
'My meadow lies green and my corn is unshorn
My barn is tae big and my babe is unborn.'

High upon hielan's and laigh upon Tay,
Bonnie George Campbell rade oot on a day.
Saddled and bridled, sae gallant tae see,
Hame cam' his guid horse but never cam' he.

The Bonnie Lass o' Fyvie   Trad.

There once was a troop o' Irish Dragoons
Cam' marchin' doon through Fyvie O,
An' their captain's fa'en in love wi' a very bonnie lass,
An' her name it was ca'ed pretty Peggy O.

Noo there's mony a bonnie lass in the Howe o' Auchterless,
There's mony a bonnie lass in the Garioch O,
There's mony a bonnie Jean in the toon o' Aiberdeen,
But the flooer o' them a' is in Fyvie O.

Oh it's 'Come doon the stair, pretty Peggy, my dear
Oh come doon the stair, pretty Peggy O,
Oh come doon the stair, kame back your yellow hair,
Tak' a last fareweel o' your daddy O.

'For it's I'll gie ye ribbons for your bonnie gowden hair,
I'll gie ye a necklace o' amber O,
I'll gie ye silken petticoats wi' flounces tae the knee,
If ye'll convoy me doon tae my chaumer O.'

'Oh I hae got ribbons for my bonnie gowden hair,
An' I hae got a necklace o' amber O,
An' I hae got petticoats befitting my degree,
An' I'd scorn tae be seen in your chaumer O.'

'What would your mammy think if she heard the guineas clink,
An' the hautboys a-playing afore you O?
What would your mammy think when she heard the guineas clink,
An' kent you had married a sodger O?

'Oh a sodger's wife I never shall be,
A sodger shall never enjoy me O,
For I never do intend to go to a foreign land,
So I never shall marry a sodger O.'

'A sodger's wife ye never shall be,
For ye'll be the captain's lady O,
An' the regiment shall stand wi' their hats intae their hands,
An' they'll bow in the presence o' my Peggy O.

'It's braw, aye, it's braw a captain's lady tae be,
It's braw tae be a captain's lady O.
It's braw tae rant an' rove an' tae follow at his word,
An' tae march when your captain he is ready O.

But the Colonel he cries 'Now mount, boys, mount!'
The captain he cries 'Oh tarry, O,
Oh gang nae awa' for anither day or twa,
Till we see if this bonnie lass will marry O.'

It was early next morning that we rode awa'
An' oh but oor captain was sorry O.
The drums they did beat owre the bonnie braes o' Gight
An' the band played *The Lowlands o' Fyvie* O.

Lang ere we wan intae auld Meldrum toon
It's we had oor captain tae carry O.
An' lang ere we wan intae bonnie Aiberdeen,
It's we had oor captain tae bury O.

Green grow the birk upon bonnie Ythanside
An' law lies the lawlands o' Fyvie O.
The captain's name was Ned an' he died for a maid,
He died for the bonnie lass o' Fyvie O.

Lord Lovat Trad.

Lord Lovat he stood at his stable door
Brushing his milk white steed
And who has passed by but Lady Nancy Bell
Wishing her lover godspeed
Wishing her lover godspeed.

'Oh where are you going, Lord Lovat' she said.
'Come promise tell me true'
'Over the sea strange countries to see
Lady Nancy Bell I'll come see you
Lady Nancy Bell I'll come see you.'

But he was away for a year or two
But he scarcely had been three
When a mightiful dream came into his head
Lady Nancy Bell I'll come see you
Lady Nancy Bell I'll come see you.

And he's passed down by Kettlestanes church
And then by Mary's door
And the church bells they did all ring clear
And the ladies all weeping sore
And the ladies all weeping sore.

'Who is dead?' Lord Lovat said.
'Come promise tell me true'
Nancy Bell died for her true lover's sake
Lord Lovat was his name
Lord Lovat was his name.

He has ordered the coffin to be opened wide
And the white sheet he's rolled down
He's kissed her on her cold clay lips
And tears come trickling down
And tears come trickling down.

Come By The Hills   W. Gordon Smith

Come by the hills to the land where fancy is free.
And stand where the peaks meet the sky
And the lochs reach the sea.
Where the rivers run clear
And the bracken is gold in the sun.
And cares of tomorrow must wait
Till this day is done.

Come by the hills to the land where life is a song.
And sing while the birds fill the air
With their joy all day long.
Where the trees sway in time
And even the wind sings in tune.
And cares of tomorrow must wait
Till this day is done.

Come by the hills to the land where legends remain.
Where glories of old stir the heart
And may yet come again.
Where the past has been lost
And the future has still to be won.
But cares of tomorrow must wait
Till this day is done.

Tullochgorum John Skinner

Come gie's a sang Montgomery cried,
An' lay your disputes a' aside;
What nonsense is't for folks tae chide
For what's been done afore them.
Let Whig an' Tory a' agree,
Whig an' Tory, Whig an' Tory,
Whig an' Tory a' agree,
Tae drop their whigmegmorum.
Let Whig an' Tory a' agree,
Tae spend this nicht wi' mirth an' glee,
An' cheerfu' sing alang wi' me,
The Reel o' Tullochgorum.

Tullochgorum's my delight,
It gars us a' in ane unite,
An' ony sumph that keeps up spite,
In conscience I abhor him.
Blythe an' merry we's be a',
Blythe an' merry, blythe an' merry,
Blythe an' merry we's be a',
Tae mak' a cheerful quorum.
Blythe an' merry we's be a',
As lang's we hae a breath tae draw,
An' dance, till we be like tae fa',
The Reel o' Tullochgorum.

Let wardly minds themselves oppress
Wi' fear o' want and double cess;
An' silly sauls themselves distress
Wi' keepin' up decorum.
Shall we sae sour an' sulky sit,
Sour an' sulky, sour an' sulky;
Shall we sae sour an' sulky sit,
Like auld Philosophorum.
Shall we sae sour an' sulky sit,
Wi' neither sense, nor mirth, nor wit,
An' canna rise tae shake a fit,
At the Reel o' Tullochgorum.

May choicest blessings still attend
Each honest-hearted open friend,
An' calm an' quiet be his end,
Be a' that's good before him!
May peace an' plenty be his lot,
Peace an' plenty, peace an' plenty,
May peace an' plenty be his lot
An' dainties, a great store o'em!
May peace an' plenty be his lot,
Unstained by any vicious blot;
An' may he never want a groat
That's fond o' Tullochgorum.

But for the discontented fool,
Who wants to be oppression's tool,
May envy gnaw his rotten soul,
An' blackest fiends devour him!
May dool an' sorrow be his chance,
Dool an' sorrow, dool an' sorrow;
May dool an' sorrow be his chance,
An' honest souls abhor him.
May dool an' sorrow be his chance,
An' a' the ills that come frae France,
Who'er he be that winna dance
The Reel o' Tullochgorum.

The Wark o' The Weavers   David Shaw

We're a' met thegither here tae sit an' tae crack,
Wi' oor glesses in oor hands an' oor wark upon oor back;
For there's nae a trade amang them a' can either mend or mak',
Gin it wasna for the wark o' the weavers.

If it wasna for the weavers what wad they do?
They wadna hae claith made oot o' oor woo';
They wadna hae a coat, neither black nor blue,
Gin it wasna for the wark o' the weavers.

There's some folk independent o' ither tradesmen's wark,
For women need nae barber an' dykers need nae clerk;
But there's no ane o' them but needs a coat an' a sark,
No, they canna want the wark o' the weavers.

There's smiths an' there's wrights and there's mason chiels an' a',
There's doctors an' there's meenisters an' them that live by law,
An' oor freens that bide oot ower the sea in Sooth America,
An' they a' need the wark o' the weavers.

Oor sodgers an' oor sailors, oh, we mak' them a' bauld,
For gin they hadna claes, faith, they couldna fecht for cauld;
The high an' low, the rich an' puir—a'body young an' auld,
They a' need the wark o' the weavers.

So the weavin' is a trade that never can fail,
Sae lang's we need ae cloot tae haud anither hale,
Sae let us a' be merry ower a bicker o' guid ale,
An' drink tae the health o' the weavers.

Bonnie Glen Shee   Trad.

Oh, do you see yon shepherds, as they walk along,
Wi' their plaidies pu'd aboot them, and their sheep they graze on?

Busk, busk, bonnie lassie and come alang wi' me,
An' I'll tak' ye tae Glenisla, near bonnie Glen Shee.

Oh, do you see yon soldiers as they all march along,
Wi' their guns on their shoulders and their broadswords hanging down?

Oh, do you see yon high hills all covered wi' snow?
They hae parted mony a true love and they'll soon part us twa.

The Back o' Bennachie Trad.

As I cam' roun' by Bennachie
A bonnie young lassie there I did see,
I gaed her a wink and she smiled tae me
At the back o' Bennachie.

Oh, there's meal and there's ale whaur the Gadie rins,
Wi' the yellow broom and the bonnie whins,
There's meal and there's ale whaur the Gadie rins,
At the back o' Bennachie.

Oh I took my lassie on my knee,
Her kilt was short abeen her knee,
I says, 'My lassie will ye come wi' me,
Tae the back o' Bennachie?'

I says tae her, 'Pit on your kilt,
You're a gey bra' deem and you're gey weel built,
You can wear your plaidie alang wi' your kilt,
At the back o' Bennachie.'

Oh when her mither comes tae ken,
We'll hae tae rin noo fae oor hame,
And sleep in the heather up in the glen,
At the back o' Bennachie.

Oh, here's tae the lassie o' Bennachie,
I'll never gang back for her tae see,
I'll bide wi' my mither until I dee,
At the back o' Bennachie.

The Freedom Come-All-Ye Hamish Henderson

Roch the wind in the clear day's dawin'
Blaws the cloods heelster gowdy ow'r the bay;
But there's mair nor a roch wind blawin'
Through the great glen o' the warld the day.
It's a thocht that will gar oor rottans—
A' they rogues that gang gallus fresh and gay—
Tak the road an' seek ither loanins
For their ill ploys tae sport an' play.

Nae mair will the bonnie callants
Mairch tae war, when oor braggarts crousely craw,
Nor wee weans frae pit-heid an' clachan
Mourn the ships sailin' doon the Broomielaw.
Broken faimlies in lands we've herriet
Will curse Scotland the Brave nae mair, nae mair;
Black an' white, ane til ither mairriet
Mak the vile barracks o' their maisters bare.

So come all ye at hame wi' freedom,
Never heed whit the hoodies croak for doom;
In your hoose a' the bairns o' Adam
Can find breid, barley bree an' painted room.
When Maclean meets wi's freens in Springburn
A' the roses an' geans will turn tae bloom,
And a black boy frae yont Nyanga
Dings the fell gallows o' the burghers doon.

Herrin's Heids Trad.

Oh, fit'll I dae wi' the herrin's heids?
I'll mak them intae loaves o' breid,
I'll mak them intae loaves o' breid,
Sing fal the doo a day.
Herrin's heids, loaves o' breid,
An' a' sorts o' things.

The herrin' it is the king o' the sea,
The herrin' it is the fish for me,
The herrin' it is the king o' the sea,
Sing fal the doo a day.

Oh, fit'll I dae wi' the herrin's eyes?
I'll mak them intae puddin's an' pies,
I'll mak them intae puddin's an' pies,
Sing fal the doo a day.
Herrin's eyes, puddin's an' pies,
Herrin's heids, loaves o' breid,
An' a' sorts o' things.

Oh, fit'll I dae wi' the herrin's fins?
I'll mak' them intae needles an' pins,
I'll mak them intae needles an' pins,
Sing fal the doo a day.
Herrin's fins, needles an' pins,
Herrin's eyes, puddin's an' pies,
Herrin's heids, loaves o' breid,
An' a' sorts o' things.

Oh, fit'll I dae wi' the herrin's back?
I'll mak' it a laddie an' christen him Jack,
I'll mak' it a laddie an' christen him Jack,
Sing fal the doo a day.
Herrin's backs, laddies an' Jacks,
Herrin's fins, needles an' pins,
Herrin's eyes, puddin's an' pies,
Herrin's heids, loaves o' breid,
An' a' sorts o' things.

Oh, fit'll I dae wi' the herrin's belly?
I'll mak' it a lassie and christen her Nellie,
I'll mak' it a lassie and christen her Nellie,
Sing fal the doo a day.
Herrin's bellies, lassies an' Nellies,
Herrin's backs, laddies an' Jacks,
Herrin's fins, needles an' pins,
Herrin's eyes, puddin's an' pies,
Herrin's heids, loaves o' breid,
An' a' sorts o' things.

Oh, fit'll I dae wi' the herrin's tail?
I'll mak' it a ship wi' a beautiful sail,
I'll mak' it a ship wi' a beautiful sail,
Sing fal the doo a day.
Herrin's tails, ships an' sails,
Herrin's bellies, lassies an' Nellies,
Herrin's backs, laddies an' Jacks,
Herrin's fins, needles an' pins,
Herrin's eyes, puddin's an' pies,
Herrin's heids, loaves o' breid,
An' a' sorts o' things.

Leezie Lindsay Trad.

Will ye gang into the Hielan's Leezie Lindsay,
Will ye gang into the Hielan's wi' me?
Will ye gang into the Hielan's Leezie Lindsay,
My bride and my darling to be?

To gang to the Hielan's wi' you sir,
I dinna ken how that micht be;
For I ken na the land that ye live in,
Nor ken I the lad I'm gaun wi'.

O Leezie, lass, ye maun ken little,
If sae ye dinna ken me;
For my name is Lord Ronald MacDonald,
A chieftain o' high degree.

She has kilted her coats o' green satin,
She has kilted them up to the knee,
And she's aff wi' Lord Ronald MacDonald,
His bride and his darling to be.

Oh Dear Me

Mary Brooksbank

Oh, dear me, the mill's gaen fast,
The puir wee shifters canna get a rest.
Shiftin' bobbins, coorse and fine,
They fairly mak' ye work for your ten and nine.

Oh, dear me, I wish the day was done,
Rinnin' up and doon the Pass is no' nae fun;
Shiftin', piecin', spinnin' warp weft and twine,
Tae feed and cled my bairnie affen ten and nine.

Oh, dear me, the warld's ill divided,
Them that work the hardest are aye wi' least provided,
But I maun bide contented, dark days or fine,
There's no much pleasure living affen ten and nine.

Reproduced by kind permission of David Winter & Son Ltd, Dundee.

Jock o' Hazeldean   Sir Walter Scott

'Why weep ye by the tide ladye,
Why weep ye by the tide?
I'll wad ye tae my youngest son,
And ye shall be his bride;
And ye shall be his bride, ladye,
Sae comely tae be seen:'
But aye she loot the tears doon fa'
For Jock o' Hazeldean.

'Noo let this wilfu' grief be done,
And dry thy cheek sae pale;
Young Frank is chief o' Errington,
And lord o' Langley Dale,
His step is first in peacefu' ha',
His sword in battle keen:'
But aye she loot the tears doon fa'
For Jock o' Hazeldean.

'A chain o' gowd ye shall na lack,
Nor braid tae bind your hair,
Nor mettled hound, nor managed hawk,
Nor palfrey fresh and fair:
And you, the foremaist o' them a',
Shall ride our forest queen:'
But aye she loot the tears doon fa'
For Jock o' Hazeldean.

The kirk was decked at morning-tide,
The tapers glimmered fair;
The priest and bridegroom wait the bride,
And dame and knight were there:
They sought her baith by bower and ha';
The ladye was na seen!—
She's o'er the border, and awa'
Wi' Jock o' Hazeldean.

Dainty Davie Trad.

Now rosy May comes in wi' flowers,
To deck her gay green birken bowers,
And now come in my happy hours,
To wander wi' my Davie.

Meet me on the warlock knowe,
Dainty Davie, dainty Davie;
There I'll spend the day wi' you,
My ain dear dainty Davie.

The crystal waters round us fa',
The merry birds are lovers a',
The scented breezes round us blaw,
A-wandering wi' my Davie.

When purple morning starts the hare,
To steal upon her early fare,
Then through the dews, I will repair,
To meet my faithfu' Davie.

When day, expiring in the west,
The curtain draws o' Nature's rest,
I'll flee to his arms I lo'e best,
And that's my dainty Davie.

The Flowers o' the Forest Jane Elliot

I've heard the lilting, at our yowe-milking,
Lasses a-lilting, before the dawn o' day;
But now they are moaning, on ilka green loaning;
The Flowers o' the Forest are a' wede away.

At buchts, in the morning, nae blythe lads are scorning,
The lasses are lonely, and dowie, and wae;
Nae daffin', nae gabbin', but sighing and sabbing,
Ilk ane lifts her leglen and hies her away.

In hairst, at the shearing, nae youths now are jeering,
The bandsters are lyart, and runkled and grey;
At fair, or at preaching, nae wooing, nae fleeching—
The Flowers o' the Forest are a' wede away.

At e'en, at the gloaming, nae swankies are roaming,
'Bout stacks wi' the lasses at bogle to play;
But ilk ane sits drearie, lamenting her dearie—
The Flowers o' the Forest are a' wede away.

Dule and wae to the order, sent our lads to the border!
The English, for aince, by guile wan the day;
The Flowers o' the Forest, that foucht aye the foremost,
The pride o' our land, are cauld in the clay.

We hear nae mair lilting at our yowe-milking,
Women and bairns are heartless and wae;
Sighing and moaning on ilka green loaning—
The Flowers o' the Forest are a' wede away.

Ae Fond Kiss   Robert Burns

Ae fond kiss, and then we sever;
Ae fareweel, and then for ever!
Deep in heart-wrung tears I'll pledge thee,
Warring sighs and groans I'll wage thee.

Who shall say that Fortune grieves him,
While the star of hope she leaves him?
Me, nae cheerful twinkle lights me:
Dark despair around benights me.

I'll ne'er blame my partial fancy,
Naething could resist my Nancy:
But to see her was to love her;
Love but her, and love for ever.

Had we never lov'd sae kindly!
Had we never lov'd sae blindly!
Never met—or never parted,
We had ne'er been broken-hearted.

Fare-thee-weel, thou first and fairest!
Fare-thee-weel, thou best and dearest!
Thine be ilka joy and treasure,
Peace, Enjoyment, Love and Pleasure!

Ae fond kiss, and then we sever!
Ae fareweel, Alas, for ever!
Deep in heart-wrung tears I'll pledge thee,
Warring sighs and groans I'll wage thee.

The Haughs o' Cromdale Trad.

As I cam' in by Auchendoun
Just a wee bit frae the toon,
Tae the Hielan's I was bound,
Tae view the Haughs o' Cromdale.
I met a man in tartan trews,
Speired at him what was the news,
Quo' he 'The Hielan' army rues
That e'er we cam tae Cromdale.'

We were at dinner every man,
When the English host upon us cam'.
A bloody battle then began,
Upon the Haughs o' Cromdale.
The English horse they were sae rude,
Bathed their hooves in Hielan' blood,
But oor brave clans they boldly stood,
Upon the Haughs o' Cromdale.

But alas we could no longer stay,
And o'er the hills we cam' away.
Sair we did lament the day,
That e'er we cam' tae Cromdale.
Thus the great Montrose did say,
Hielan' man show me the way.
We will o'er the hills this day,
Tae view the Haughs o' Cromdale.

They were at dinner every man,
When great Montrose upon them cam'.
A second battle then began,
Upon the Haughs o' Cromdale.
The Grant, McKenzie and Mackay,
As Montrose they did espy.
Then they fought most valiantly,
Upon the Haughs o' Cromdale.

The MacDonalds they returned again,
The Camerons did their standards join,
McKintosh played a bloody game,
Upon the Haughs o' Cromdale.
The Gordons boldly did advance,
The Frasers fought with sword and lance,
The Grahams they made the heids tae dance,
Upon the Haughs o' Cromdale.

Then the loyal Stewarts wi' Montrose,
So boldly set upon their foes,
Laid them low wi' Hielan' blows,
Upon the Haughs o' Cromdale.
Of thirty thousand Cromwell's men,
A thousand fled tae Aberdeen,
The rest o' them lie on the plain,
Upon the Haughs o' Cromdale.

Caller Herrin' Lady Nairne

Wha'll buy my caller herrin'?
They're bonnie fish and halesome farin';
Wha'll buy my caller herrin'?
New drawn frae the Forth.

When ye were sleepin' on your pillows,
Dream'd ye aught o' oor puir fellows,
Darkling as they faced the billows,
A' to fill our woven willows.
Buy my caller herrin',
They're bonnie fish and halesome farin';
Buy my caller herrin',
New drawn frae the Forth.

An' when the creel o' herrin' passes,
Ladies clad in silks and laces,
Gather in their braw pelisses,
Toss their heads and screw their faces.
Buy my caller herrin',
They're bonnie fish and halesome farin';
Buy my caller herrin',
New drawn frae the Forth.

Noo neebour wives come tent my tellin',
When the bonnie fish ye're sellin',
At a word be aye your dealin',
Truth will stand when a' things failin'.
Buy my caller herrin',
They're bonnie fish and halesome farin';
Buy my caller herrin',
New drawn frae the Forth.

The Lass o' Patie's Mill

Allan Ramsay

The lass o' Patie's mill
Sae bonnie, blythe and gay,
In spite of all my skill,
Hath stole my heart away.
When tedding of the hay,
Bareheaded on the green,
Love 'midst her locks did play.
And wanton'd in her e'en.

Without the help of art,
Like flowers which grace the wild,
She did her sweets impart,
Whene'er she spoke or smiled.
Her looks they were so mild,
Free from affected pride,
She me to love beguiled,
I wished her for my bride.

Oh had I all that wealth
Hopetoun's high mountains fill,
Insured long life and health,
And pleasures at my will;
I'd promise and fulfil,
That none but bonnie she,
The lass o' Patie's mill,
Should share the same wi' me.

Birniebouzle James Hogg

Will ye gang wi' me, lassie,
To the braes o' Birniebouzle?
Baith the yird and sea, lassie,
Will I rob to fend ye.
I'll hunt the otter an' the brock,
The hart, the hare, an' heather cock,
An' pu' the limpet aff the rock,
To batten an' to mend ye.

If ye'll gang wi' me, lassie,
To the braes o' Birniebouzle,
Till the day you dee, lassie,
Want shall ne'er come near ye.
The peats I'll carry in a scull,
The cod an' ling wi' hooks I'll pull,
An' reave the eggs o' mony a gull,
To please my dainty dearie.

Sae canty will we be, lassie,
At the braes o' Birniebouzle,
Donald Gun and me, lassie,
Ever sall attend ye.
Though we hae nowther milk nor meal,
Nor lamb nor mutton, beef nor veal,
We'll fank the porpy and the seal,
And that's the way to fend ye.

An' ye sall gang sae braw, lassie,
At the kirk o' Birniebouzle,
Wi' littit brogues an' a', lassie,
Wow but ye'll be vaunty!
An' you sall wear, when you are wed,
The kirtle an' the Hieland plaid,
An' sleep upon a heather bed,
Sae cozy an' sae canty.

If ye'll but marry me, lassie,
At the kirk o' Birniebouzle,
A' my joy shall be, lassie,
Ever to content ye.
I'll bait the line and bear the pail,
An' row the boat and spread the sail,
An' drag the larry at my tail,
When mussel hives are plenty.

Then come awa' wi' me, lassie,
To the braes o' Birniebouzle;
Bonnie lassie, dear lassie,
You shall ne'er repent ye.
For you shall own a bught o' ewes,
A brace o' gaits, and byre o' coos,
An' be the lady o' my hoose,
An' lads an' lasses plenty.

A Pair o' Nicky Tams G.S. Morris

Fan I was only ten year auld, I left the pairish schweel,
My faither he fee'd me tae the Mains tae chaw his milk and meal,
I first pit on my narrow breeks, tae hap my spinnel trams,
Syne buckled roon my knappin knees, a pair o' Nicky Tams.

It's first I gaed on for baillie loon and syne I gaed on for third,
An' syne, of course, I had tae get the horseman's grippin' wird,
A loaf o' breid tae be my piece, a bottle for drinkin' drams,
But ye canna gyang thro' the caffhouse door withoot yer Nicky Tams.

The fairmer I am wi' eynoo he's wealthy, bit he's mean,
Though corn's cheap, his horse is thin, his harness fairly deen.
He gars us load oor cairts owre fou, his conscience has nae qualms,
Bit fan breist-straps brak there's naething like a pair o' Nicky Tams.

I'm coortin' Bonnie Annie noo, Rob Tamson's kitchie deem,
She is five-and-forty an' I am siventeen,
She clorts a muckle piece tae me, wi' different kinds o' jam,
An' tells me ilka nicht that she admires my Nicky Tams.

I startit oot, ae Sunday, tae the kirkie for tae gyang,
My collar it was unco ticht, my breeks were nane owre lang,
I had my Bible in my pooch, likewise my Book o' Psalms,
Fan Annie roared, 'Ye muckle gype, tak' aff yer Nicky Tams!'

Though unco sweir, I took them aff, the lassie for tae please,
But aye my breeks they lirkit up, a' roon aboot my knees.
A wasp gaed crawlin' up my leg, in the middle o' the Psalms,
So niver again will I enter the kirk withoot my Nicky Tams.

I've often thocht I'd like tae be a bobby on the Force,
Or maybe I'll get on the cars, tae drive a pair o' horse.
But fativer it's my lot tae be, the bobbies or the trams,
I'll ne'er forget the happy days I wore my Nicky Tams.

The Road to Dundee   Trad.

Cauld winter was howlin' o'er muir and o'er mountains,
And wild was the surge on the dark rolling sea;
When I met about daybreak a bonnie young lassie
Wha asked me the road and the miles to Dundee.

Says I 'My young lassie, I canna' weel tell ye,
The road and the distance I canna' weel gie,
But if you'll permit me tae gang a wee bittie,
I'll show you the road and the miles to Dundee?'

At once she consented, and gave me her arm,
Ne'er a word I did speir wha the lassie might be;
She appeared like an angel in feature and form,
As she walked by my side on the road to Dundee.

At length wi' the Howe o' Strathmartine behind us,
And the spires o' the toon in full view we could see;
She said, 'Gentle sir, I can never forget ye
For showing me so far on the road to Dundee.'

'This ring and this purse take to prove I am grateful,
And some simple token I trust ye'll gie me,
And in times to come I'll remember the laddie
That showed me the road and the miles to Dundee.'

I took the gowd pin from the scarf on my bosom,
And said, 'Keep ye this in remembrance o' me;'
Then bravely I kissed the sweet lips o' the lassie
Ere I parted wi' her on the road to Dundee.

So here's to the lassie—I ne'er can forget her—
And ilka young laddie that's listening tae me;
And never be sweer to convoy a young lassie,
Though it's only to show her the road to Dundee.

Mally Leigh Trad.

As Mally Leigh cam' doon the street,
Her capuchin did flee.
She cast a look behind her back,
To see her negligee.

Oh we're a' gaun East an' West
We're a' gaun aye ajee.
We're a' gaun East an' West
A-coortin' Mally Leigh.

A' doon alang the Canongate,
Were beaux o' ilk degree.
And mony an ane turned roond aboot
The comely sicht tae see.

The lass gaed through the palace ha',
And nane sae braw as she,
A prince speired leave tae dance wi' her,
And earlies twa or three.

But Hielan' Brodie fleered them a',
Wi' prood an' glancin' e'e.
He's won for aye the he'rt an' hand,
O' bonnie Mally Leigh.

Coulter's Candy

Robert Coltart

Ally bally, ally bally bee,
Sittin' on yir mammy's knee,
Greetin' for anither bawbee,
Tae buy some Coulter's Candy.

Mammy gie me ma thrifty doon,
Here's auld Coulter comin' roon',
Wi' a basket on his croon,
Sellin' Coulter's Candy.

Ally bally, ally bally bee,
When you grow up you'll go tae sea,
Makin' pennies for your mammy an' me,
Tae buy some Coulter's Candy.

Oor wee Annie's greetin' tae,
So whit can puir auld mammy dae?
But gie them a penny atween them twae
Tae buy some Coulter's Candy.

Puir wee Jeannie's lookin' awfy thin,
Jist a rickle o' banes covered ower wi' skin,
But noo she's gettin' a double chin,
Wi' sookin' Coulter's Candy.

The Muckin' o' Geordie's Byre

Willie Kemp

When I want tae lauchin' I think on the scene
When a'body roon' aboot cam' ower tae clean,
But clairted themsel's richt up tae the e'en
At the muckin' o' Geordie's byre.
The Rocher, Wee Wullikie, and Mickie Doo,
The auld wife hersel' an' Teeny McCrew;
Wi' dozens o' ithers that left aff the pleugh
For the muckin' o' Geordie's byre.

Oh! Siccan a sottar was a'body in,
Five mile awa' ye could hear the din;
Nae wonder the very coo' started tae grin
At the muckin' o' Geordie's byre.

The whisky ga'ed roun' Tammy fleein' the doo'
And aye as they drank, the mair they got fou'
The only anes sober, the calf an' the coo'
At the muckin' o' Geordie's byre.
Tammy roared oot 'Ring the bell noo for mair'
Syne tuggit the coo's tail, and pu'd oot the hair;
When she kickit oot he gaed up in the air
At the muckin' o' Geordie's byre.

The first on the beesom was Teeny McCrew,
Sittin' doon on the stibble end 'cause she was fou'
And she kickit up sic' a hullaballoo
At the muckin' o' Geordie's byre.
She yowled like a ship in distress in a gale,
And aye on the sair bit Teeny wad wail;
So they bandaged her up wi' her auld bridal veil
At the muckin' o' Geordie's byre.

The bobby cam' roun' tae quell doon the soun'
The cratur got lost whaur the rucks hae their foun'
He fell intae the midden and was likely tae droon
At the muckin' o' Geordie's byre.

The weicht o' him syne sent the barrow in bits,
The wheel cairried on and the auld wife it hits;
Losh! ye should hae seen how she did the splits
At the muckin' o' Geordie's byre.

Geordie lay doon' sayin' he wanted tae dee,
Syne wanted the lave o's a fareweel tae gi'e
Fell asleep in the strae wi' the barley bree
At the muckin' o' Geordie's byre.
He dream't and said 'Mistress, I'll kiss ye the noo',
But losh! what's gane wrang? ye've an awfa' wet moo'
When he crackit a spunk, he was kissin' the coo'
At the muckin' o' Geordie's byre.

Ane by ane coupit ower in the griep,
Ane by ane they a' fell asleep;
Bye and bye the moon took a peep
At the muckin' o' Geordie's byre.
On the riggin' an owlet lat oot a 'Yahoo'
But they didna' need ony hush-ee-balloo;
Reveille next day was the moo' o' the coo'
At the muckin' o' Geordie's byre.

The Piper o' Dundee Henry Neil

The piper cam' tae oor toon
Tae oor toon, tae oor toon,
The piper cam' tae oor toon,
And he played bonnilie.
He played a spring the laird tae please,
A spring brent new frae yont the seas,
And then he gied his bags a heeze,
And played anither key.

And wasna he a roguie,
A roguie, a roguie,
And wasna he a roguie,
The piper o' Dundee?

He played 'The welcome ower the Main',
And 'Ye'se be fou and I'se be fain'.
And 'Auld Stewart's back again',
With mickle mirth and glee.
He played, 'The kirk', he played 'The queer',
'The Mullin Dhu', and 'Chevalier',
And 'Lang awa' but welcome here',
Sae sweet sae bonnilie.

It's some got swords and some got nane,
And some were dancing mad their lane,
And mony a vow o' weir was tane,
That nicht at Amulree.
There was Tullibardine and Burleigh,
And Struan, Keith and Ogilvie,
And brave Carnegie, wha but he?
The piper o' Dundee.

Wee Willie Winkie William Miller

Wee Willie Winkie rins thro' the toon,
Up stairs an' doon stairs in his nicht gown,
Tirlin' at the windae, cryin' at the lock,
'Are a' the bairnies in their beds? It's past eight o'clock.'

'Hey Willie Winkie, are ye comin' ben?
The cat's singin' grey thrums tae the sleepin' hen,
The dog's spelder'd on the flair, an' disnae gie a cheep,
But here's a waukrife laddie, that winna fa' asleep.'

Onything but sleep, ye rogue, glow'ring like the moon,
Rattlin' in an airn jug wi' an airn spoon,
Rumblin' tumblin' roond aboot, crawin' like a cock,
Skirlin' like a kenna-what, wauk'nin' sleepin' folk.

'Hey Willie Winkie, the wean's in a creel,
Wamblin' aff a bodie's knee like a verra eel,
Ruggin' at the cat's lug an' ravellin' a' her thrums—
Hey Willie Winkie-see, here he comes.'

Wearied is the mither that has a stoorie wean,
A wee stumpie stousie, that winna rin his lane;
That has a battle aye wi' sleep afore he'll close an e'e—
But a kiss frae aff his rosy lips gies strength anew tae me.

The Soor Milk Cairt Thomas Johnstone

Oh! I'm a country chappie an' I'm servin' at Polnoon,
A wee bit farm in Eaglesham, that fine auld fashioned toun,
We gang wi' milk each mornin' a wee while efter three,
Oh, we tak' the road richt cheerily, the auld black horse and me.
The ither mornin' early as the 'Barlin' we did pass,
I chanc'd there to foregather wi' a bonny country lass,
Says I,'My bonnie lassie if you are gone that airt,
I'll drive ye intae Glesca in ma soor milk cairt.'

Wi' cheeks sae red an' rosy an' e'en sae bonnie blue,
Entrancing an' glancing, she pierced me thro' an' thro',
She fairly won my fancy an' stole awa' my hert,
Drivin' intae Glesca in the soor milk cairt.

We cracked awa' richt merrily as side by side we sat,
An' wi' a blush she telt me that her name was Maggie Watt,
When passin' by the water foot where Cart rins sweet and clear,
Oh! I slipped my airm aroon' her waist an' spak' love in her ear.
I'd heard o' lords and ladies makin' love in shady bowers,
An' hoo they wooed an' won among the roses an' the flowers,
But I'll ne'er forget the mornin' wee cupid threw his dart,
An' made me pop the question in the soor milk cairt.

The lassie has consented so gin term time comes roon',
I mean to buy a harness, plaid an' braw new silken goon.
We've settled to get mairret just aboot next August fair,
When a' oor auld acquaintances we hope to see them there.
The lassie's never had a hurl in a carriage a' her days,
So when I proposed to get a coach an' pair o' greys,
'Na, na,' says she, 'oor siller's scarce, ye ken we canna spare't,
I wad raither hae a joltin' on the soor milk cairt.'

The Bonnie Ship *The Diamond* Trad.

The Diamond is a ship, my lads, for the Davis Strait she's bound,
And the quay it is all garnished with bonnie lassies round.
Captain Thomson gives the order to sail the ocean wide,
Where the sun it never set, my lads, nor darkness dims the sky.

So it's cheer up, my lads, let your hearts never fail,
While the bonnie ship, The Diamond, goes a-fishing for the whale.

Along the quay at Peterheid the lassies stand aroon',
Wi' their shawls all pu'ed aboot them and the saut tears rinnin' doon.
Don't you weep, my bonnie lass, though you be left behind,
For the rose will grow on Greenland's ice before we change our mind.

Here's a health to *The Resolution*, likewise *The Eliza Swan,*
Here's a health to *The Battler of Montrose* and *The Diamond*, ship of fame.
We wear the trousers o' the white and the jackets o' the blue,
When we return to Peterheid we'll hae sweethearts enoo.

It'll be bricht both day and nicht when the Greenland lads come hame,
Wi' a ship that's fu' o' oil, my lads, and money to our name;
We'll make the cradles for to rock and the blankets for to tear,
And every lass in Peterheid sing 'Hushabye, my dear'.

The Bleacher Lassie o' Kelvinhaugh Trad.

As I went out on a summer's ev'ning,
To view the fields in sweet Kelvinhaugh,
'Twas there I met a weel-faur'd lassie,
Wi' cheeks like roses and skin like snaw.

Says I, 'My lassie, where are ye going?
What do you do by the Broomielaw?'
Says she, 'Kind sir, I'm a bleacher lassie
In Cochrane's Bleachfields in Kelvinhaugh.'

Says I, 'My lassie, will ye go wi' me?
I'll buy ye gowns and diamonds braw.'
'Oh no, kind sir, I may plainly tell ye
I've got a lad, but he's far awa'.'

Says I, 'My lassie, ye are hard-hearted,
I wish your fair face I never saw,
My heart is bleeding baith late and early
For the bleacher lassie o' Kelvinhaugh.'

'It's seven years since he's gane and left me
Oh, seven lang years since he's gane awa',
But other seven I'll wait upon him
I'll bleach a while on sweet Kelvinhaugh.'

'Oh, lassie, lassie, ye hae been faithfu',
An' thocht on me when far awa',
True love will surely be rewarded,
We'll part nae mair on sweet Kelvinhaugh.'

Now this young couple they have got married
And keep an ale house between them twa,
And the sailor laddies they gang a-drinking,
To the bleacher lassie o' Kelvinhaugh.

Smile in Your Sleep   Jim McLean

Hush, hush, time to be sleeping,
Hush, hush, dreams come a-creeping,
Dreams o' peace and o' freedom
So smile in your sleep bonnie baby.

Once our valleys were ringing
With sounds of our children singing,
But now sheep bleat till the evening
And shielings stand empty and broken.

We stood with our hands bowed in prayer
While factors laid our cottages bare,
The flames fired the clear mountain air
And many were dead in the morning.

Where was our proud Highland mettle?
Our men once so famed in battle
Now stand cowed, huddled like cattle,
And soon to be shipped o'er the ocean.

No use pleading or praying,
Now gone, gone, all hope of staying,
So hush, hush, the anchors a-weighing,
Don't cry in your sleep bonnie baby.

Loch Tay Boat Song Harold Boulton

When I've done my work of day,
And I row my boat away,
Doon the waters o' Loch Tay,
As the evening light is fading,
And I look upon Ben Lawers
Where the after glory glows,
And I think on two bright eyes
And the melting mouth below.
She's my beauteous nighean ruadh
My joy and sorrow too,
And although she is untrue
Well, I cannot live without her
For my heart's a boat in tow,
And I'd give the world to know
Why she means to let me go,
As I sing ho-ree, ho-ro.

Nighean ruadh your lovely hair
Has more glamour I declare
Than all the tresses rare,
'Tween Killin and Aberfeldy.
Be they lint white, brown or gold,
Be they blacker than the sloe,
They are worth no more to me
Than the melting flake o' snow.
Her eyes are like the gleam
O' the sunlight on the stream,
And the song the fairies sing
Seems like songs she sings at milking.
But my heart is full of woe,
For last night she bade me go
And the tears begin to flow,
As I sing ho-ree, ho-ro.

Bonnie Wee Country Lass Trad.

It fell aboot the Lammas-tide as I gaed for a stroll.
Ah hudnae gaun sae very far, jist doon ablow the toll.
Ah hudnae gaun sae very far when Davie's burn Ah passed.
Who dae ye think Ah chanced tae meet, but a bonnie wee country lass.

'Whaur are ye gaun, gie me yir haun, how do ye do?' says I,
'Haud up yir heid my bonnie wee lass an' dinnae look sae shy.
Whaur dae ye stey, whaur dae ye bide, come tell tae me yir name,
And wid yir faither be angry noo, if I was tae see ye hame?'

She tellt me she was workin' doon at the cotton mill,
Windin' hanks o' yarn she didna like it awfa weel.
She only got ten bob a week, she wisna on full time,
Says I 'My lass think nae mair o' that for ye'll very soon be mine.'

We stood there talkin' for a while aboot the thing ca'ed love,
No' thinkin' how the time was gaun till the sky grew dark above.
Ah slipt my haun aboot her waist, she did tae me exclaim,
'See here ma lad, we'll hae nae mair o' that, Ah thocht ye were seein' me hame.'

An' noo since we've got married Ah'm as happy as can be,
Twa bonnie bairnies by my side anither yin on my knee.
An' when we go oot walkin' an' the cotton mill we pass,
Ah think o' the happy 'oors we've spent since Ah met my wee country lass.

The Twa Corbies Trad.

As I was walking a' alane,
I heard twa corbies makin' a mane.
The tane untae the tither did say,
'Whaur sall we gang and dine the day, O.
Whaur sall we gang and dine the day?'

'It's in ahint yon auld fail dyke
I wot there lies a new slain knight;
And naebody kens that he lies there
But his hawk and his hound, and his lady fair, O.
But his hawk and his hound, and his lady fair.

'His hound is to the hunting gane
His hawk to fetch the wild-fowl hame,
His lady's ta'en anither mate,
So we may mak our dinner swate, O.
So we may mak our dinner swate.

'Ye'll sit on his white hause-bane,
An' I'll pike oot his bonnie blue e'en.
Wi' ae lock o' his gowden hair
We'll theek oor nest when it grows bare, O.
We'll theek oor nest when it grows bare.

There's mony a ane for him makes mane
But nane sall ken whaur he is gane,
O'er his white banes when they are bare
The wind sall blaw for evermair, O.
The wind sall blaw for evermair.'

Scotland the Brave

Cliff Hanley

Hark, when the night is falling. Hear! hear the pipes are calling,
Loudly and proudly calling, down through the glen.
There, where the hills are sleeping, now feel the blood a-leaping,
High as the spirits of the old Highland men.

Towering in gallant fame, Scotland my mountain hame,
High may your proud standards gloriously wave.
Land of my high endeavour, land of the shining river,
Land of my heart for ever, Scotland the brave.

High in the misty Highlands, out by the purple islands
Brave are the hearts that beat beneath Scottish skies.
Wild are the winds to meet you, staunch are the friends that greet you
Kind as the love that shines from fair maidens' eyes.

Far off in sunlit places, sad are the Scottish faces,
Yearning to feel the kiss of sweet Scottish rain,
Where tropic skies are beaming, Love sets the heart a-dreaming,
Longing and dreaming for the Homeland again.

The Boatie Rows John Ewen

O weel may the boatie row,
And better may she speed,
And weel may the boatie row,
That wins the bairns's breid!
The boatie rows, the boatie rows,
The boatie rows indeed;
And happy be the lot of a'
That wishes her to speed!

I cuist my line in Largo Bay,
And fishes I caught nine;
There's three to boil, and three to fry,
And three to bait the line.
The boatie rows, the boatie rows,
The boatie rows indeed;
And happy be the lot of a'
That wishes her to speed!

O weel may the boatie row,
That fills a heavy creel,
And cleads us a' frae head to feet,
And buys our parritch meal.
The boatie rows, the boatie rows,
The boatie rows indeed;
And happy be the lot of a'
That wish the boatie speed!

When Jamie vow'd he would be mine,
And won frae me my heart,
O muckle lighter grew my creel!
He swore we'd never part.
The boatie rows, the boatie rows,
The boatie rows fu' weel;
And muckle lighter is the lade
When love bears up the creel.

My kurtch I put upon my head,
And dress'd mysel' fu' braw;
I trow my heart was dowf and wae,
When Jamie gaed awa':
But weel may the boatie row,
And lucky be her part;
And lightsome be the lassie's care
That yields an honest heart!

When Sawnie, Jock, and Janetie,
Are up and gotten lear,
They'll help to gar the boatie row,
And lighten a' our care.
The boatie rows, the boatie rows,
The boatie rows fu' weel;
And lightsome be her heart that bears
The murlain and the creel!

And when wi' age we are worn down,
And hirplin' round the door,
They'll row to keep us hale and warm
As we did them before:
Then, weel may the boatie row,
That wins the bairns's breid;
And happy be the lot of a'
That wish the boat to speed!

Willie o' Winchburgh Trad.

The king has been a puir prisoner,
A prisoner lang in Spain.
And Willie o' the Winchburgh,
Has lain lang wi' his dochter Jane.

What troubles you my dochter dear?
Ye look sae pale an' wan.
Oh have ye suffered ony sair sickness,
Or have ye been sleepin' wi' a man?

I have na suffered ony sair sickness,
Nor yet been sleepin' wi' a man,
It is for you my faither dear,
For bidin' sae lang in Spain.

Cast aff, cast aff, yir berry brown gown,
Stand nakit upon a stane.
That I may ken ye by yir shape,
If ye be a maiden or nane.

So she's cast aff her berry brown gown,
Stood nakit upon a stane.
Her haunches were roond an' her apron high,
And her cheeks they were pale an' wan.

Oh is he a lord or a duke or a knight,
Or a man o' birth or fame.
Or is he one o' my servant men,
That's lately cam' hame frae Spain?

He isnae a lord or a duke or a knight,
Nor a man o' birth or fame.
But he is Willie o' Winchburgh,
I could nae langer lie my lane.

The king has ca'ed his merry men out,
His merry men thirty an' three.
Sayin' 'Bring me Willie o' Winchburgh,
For hangit he shall be.'

But when he came before the king,
He was dressed in the red silk,
His hair was like the strands o' gowd,
And his cheeks were white as milk.

'It is nae wonder' said the king
'My dochter's love ye won.
If I had been a woman as I am a man,
My bed-fellow ye wad hae been.'

And will ye mairry my dochter Janet,
By the truth o' your right hand,
Or will ye mairry my dochter Janet,
And be a lord o' the land?

Oh I will mairry yir dochter Janet,
By the truth o' my richt hand.
I will mairry yir dochter Janet,
But I'll no' be a lord o' the land.

He's mounted her on tae a milk white steed,
Himsel' tae a dapple grey.
And he's made her the lady o' as much land,
She could ride on a lang simmer's day.

Coshieville Stuart MacGregor

The west winds blow to Coshieville,
And with the winds came we,
But where the river hugs the wood,
And blackthorns flower in May there stood,
A single rowan tree.
So young and slender, so were you,
I loved you both as there you grew,
The day I took the road that leads
By Rannoch to the sea.

I carved our names at Coshieville,
The rowan tree stood still,
But the darkening west was in your eyes,
Despite your kisses and my lies,
My thoughts had crossed the hill.
I broke your heart as the minutes passed,
For I shrugged and said that nothing lasts,
But many a backward glance I cast
As I went north to the drill.

The big wheels rumble up and down,
The lorries know the way,
I waved my hand, I hitched a ride,
We crossed the bridge to Rannochside,
Where the diesel motors play.
I set myself to a cliff of stone,
My ear to a boring-hammer's drone,
But the ache inside I rued alone
And you were far away.

But the money moved from Ericht's loch,
The Great Glen beckoned on,
At Moriston the hills grew pale,
And we fought and drank through old Kintail,
Till our money soon was gone.
Then I cursed Loch Aweside's autumn rain,
And the winter whisky in Dunblane,

Till the west wind rose in the spring again
And my heart leapt at its song.

So I came at night to Coshieville,
And a dozen hills aflame,
You had another hand to hold,
Beneath the names I carved of old,
There was another name.
You looked me through nor made a sign,
I drank the cup of bitter wine,
For well we knew the fault was mine
And I went the way I came.

A Red, Red Rose Robert Burns

O my Luve's like a red, red rose
That's newly sprung in June;
O my Luve's like the melodie
That's sweetly played in tune.
As fair art thou, my bonnie lass,
So deep in luve am I;
And I will luve thee still, my dear,
Till a' the seas gang dry.

Till a' the seas gang dry, my Dear,
And the rocks melt wi' the sun;
O I will luve thee still my dear,
While the sands o' life shall run.
And fare thee weel, my only Luve!
And fare thee weel a while!
And I will come again, my Luve,
Tho' it were ten thousand mile!

The Laird o' the Dainty Dounby Trad.

A lassie was milkin' her father's kye
When a gentleman on horseback he cam' ridin' by,
When a gentleman on horseback he cam' ridin' by;
He was the Laird o' the Dainty Dounby.

'Lassie, oh lassie, fit wid ye gie,
If I wis tae lie ae nicht wi' ye?'
'Tae lie ae nicht that will never, never dee,
Though you're Laird o' the Dainty Dounby.'

He's catched her by the middle sae sma',
He's laid her doon whaur the grass grew lang,
It was a lang, lang time or he raised her up again
Sayin' 'You're Lady o' the Dainty Dounby.'

It fell upon a day and a bonnie simmer's day,
The day the lassie's father some money had tae pay,
The day the lassie's father some money had tae pay,
Tae the Laird o' the Dainty Dounby.

'Oh good mornin' and how do you do
An' foo is your dochter Janet ae noo,
An' foo is your dochter Janet ae noo,
Since I laid her in the Dainty Dounby?'

'Oh my lea Janet, she's no verra weel,
My dochter Janet, she looks unco pale,
My dochter Janet, she cowks at her kail,
Since ye've laid her in the Dainty Dounby.'

He's ta'en her by the lily white hand,
He's led her in his rooms, they are twenty one,
And placed the keys intae her hand,
Sayin' 'You're Lady o' the Dainty Dounby.'

Tramps and Hawkers Trad.

Come a' ye tramps and hawkers an' gatherers a-blaw,
That tramps the country roon' and roon' come listen ane and a'.
I'll tell to you a rovin' tale o' sights that I hae seen,
Far up intae the snowy North and South by Gretna Green.

I hae seen the high Ben Nevis away towerin' tae the moon,
I've been by Crieff and Callander an' roon' by Bonnie Doon.
An' by the Nithy's silvery tides an' places ill tae ken,
Far up intae the snowy North lies Urquhart's bonnie glen.

Oft times I've laughed untae mysel' when trudgin' on the road,
Wi' a bag-a-blaw upon ma back ma face as broon's a toad.
Wi' lumps o' cakes an' tattie scones an' cheese an' braxy ham,
Nae thinkin' whaur I'm comin' frae nor whaur I'm gaun tae gang.

But I'm happy in the summer time beneath the bricht blue sky,
Nae thinkin' in the morning where at nicht whaur I'd tae lie.
In barn or byre or anywhere dossin' oot among the hay,
An' if the weather does permit I'm happy every day.

O Loch Katrine and Loch Lomond it's a' been seen by me,
The Dee the Don the Deveron that hurries tae the sea.
Dunrobin Castle by the way I nearly hae forgot,
An' aye the rickles o' cairn marks the hoose o' John o' Groats.

I'm often roon' by Gallowa' or doon aboot Stranraer,
My business leads me anywhere sure I've travelled near and far.
I've got the rovin' notion there's naething what I loss,
In a' ma days ma daily fare an' what'll pay ma doss.

But I think I'll go tae Paddy's land I'm makin' up my mind,
For Scotland's greatly altered noo an' I canna raise the wynd.
But I will trust in Providence if Providence would prove true,
An' I will sing o' Erin's Isle when I come back tae you.

The Wee Cooper o' Fife Trad.

There was a wee cooper wha lived in Fife
Nickety, nackety, noo, noo, noo,
And he has gotten a gentle wife
Hey willy walleky, how John Dougal,
Alane quo rushety, roo, roo, roo.

She wadna bake and she wadna brew
Nickety, nackety, noo, noo, noo,
For spilin' o' her comely hue
Hey willy walleky, how John Dougal,
Alane quo rushety, roo, roo, roo.

She wadna card and she wadna spin
Nickety, nackety, noo, noo, noo,
For the tinin' o' her gowden ring
Hey willy walleky, how John Dougal,
Alane quo rushety, roo, roo, roo.

The cooper has gane tae his woo' pack
Nickety, nackety, noo, noo, noo,
And laid a sheepskin on his wife's back
Hey willy walleky, how John Dougal,
Alane quo rushety, roo, roo, roo.

I'll no thrash ye for yer gentle kin
Nickety, nackety, noo, noo, noo,
But I will thrash my ain sheepskin
Hey willy walleky, how John Dougal
Alane quo rushety, roo, roo, roo.

O I will bake and I will brew
Nickety, nackety, noo, noo, noo,
And think nae mair o' my comely hue
Hey willy walleky, how John Dougal,
Alane quo rushety, roo, roo, roo.

O I will card and I will spin
Nickety, nackety, noo, noo, noo,
And nae mair think o' my gowden ring
Hey willy walleky, how John Dougal,
Alane quo rushety, roo, roo, roo.

A' ye wha hae gotten a gentle wife
Nickety, nackety, noo, noo, noo,
Just send ye for the wee cooper o' Fife
Hey willy walleky, how John Dougal,
Alane quo rushety, roo, roo, roo.

Tibbie Dunbar   Robert Burns

O, wilt thou go wi' me,
Sweet Tibbie Dunbar?
O, wilt thou go wi' me,
Sweet Tibbie Dunbar?
Wilt thou ride on a horse,
Or be drawn in a car,
Or walk by my side,
O sweet Tibbie Dunbar?

I care na thy daddie,
His lands and his money,
I care na thy kin,
Sae high and sae lordly,
But say thou wilt hae me
For better for waur—
And come in thy coatie,
Sweet Tibbie Dunbar!

Skye Boat Song   Harold Boulton

Speed, bonnie boat, like a bird on the wing,
Onward, the sailors cry,
Carry the lad that's born to be king
Over the sea to Skye.

Loud the winds howl, loud the waves roar,
Thunder-clouds rend the air;
Baffled, our foes stand by the shore;
Follow, they will not dare.

Though the waves leap, soft shall ye sleep:
Ocean's a royal bed;
Rocked in the deep, Flora will keep
Watch by your weary head.

Many's the lad fought on that day
Well the claymore could wield,
When the night came silently lay
Dead on Culloden's field.

Banned are our homes, exile and death
Scatter the loyal men,
Yet ere the sword cool in the sheath
Charlie will come again.

O Where, Tell Me Where   Mrs Grant

O where, tell me where, is your Highland laddie gone?
O where, tell me where, is your Highland laddie gone?
He's gone with streaming banners, where noble deeds are done,
And my sad heart will tremble till he come safely home.

O where, tell me where, did your Highland laddie stay?
O where, tell me where, did your Highland laddie stay?
He dwelt beneath the holly trees, beside the rapid Spey,
And many a blessing follow'd him, the day he went away.

O what, tell me what, does your Highland laddie wear?
O what, tell me what, does your Highland laddie wear?
A bonnet with a lofty plume, the gallant badge of war,
And a plaid across the manly breast that yet shall wear a star.

Suppose, ah suppose, that some cruel, cruel wound
Should pierce your Highland laddie, and all your hopes confound?
The pipe would play a cheering march, the banners round him fly,
The spirit of a Highland chief would lighten in his eye.

But I will hope to see him yet in Scotland's bonnie bounds,
But I will hope to see him yet in Scotland's bonnie bounds,
His native land of liberty shall nurse his glorious wounds,
While wide through all our Highland hills his warlike name resounds.

Willie's Drowned in Yarrow Trad.

Doun in yon garden sweet and gay,
Where bonnie grows the lilie,
I heard a fair maid, sighing, say,
'My wish be wi' sweet Willie!

O Willie's rare, and Willie's fair,
And Willie's wondrous bonnie;
And Willie hecht to marry me,
Gin e'er he married ony.

But Willie's gone, whom I thought on,
And does not hear me weeping;
Draws many a tear frae true love's e'e,
When other maids are sleeping.

Yestreen I made my bed fu' braid,
The nicht I'll mak' it narrow;
For, a' the live-lang winter nicht,
I lie twined o' my marrow.

Oh gentle wind, that bloweth south,
From where my love repaireth,
Convey a kiss frae his deir mouth,
And tell me how he fareth!

O Tell sweit Willie to come doun,
And bid him no be cruel;
And tell him no to break the heart
Of his love and only jewel.

O tell sweit Willie to come doun,
And hear the mavis singing;
And see the birds on ilka bush,
And leaves around them hinging.

The lav'rock there, wi' her white breist,
And gentle throat sae narrow;
There's sport eneuch for gentlemen,
On Leader haughs and Yarrow.

O Leader haughs are wide and braid,
And Yarrow haughs are bonnie;
There Willie hecht to marry me,
If e'er he married ony.

O cam' ye by yon water side?
Pu'd you the rose or lilie?
Or cam' ye by yon meadow green?
Or saw ye my sweit Willie?'

She sought him up, she sought him doun,
She sought the braid and narrow;
Syne, in the cleaving o' a craig,
She found him drowned in Yarrow.

The Braes o' Balquhidder

Robert Tannahill

Will ye go, lassie, go,
To the braes o' Balquhidder?
Where the blaeberries grow,
'Mang the bonnie bloomin' heather;
Where the deer and the roe
Lightly bounding together,
Sport the lang simmer day
'Mang the braes o' Balquhidder.

Will ye go, lassie, go,
To the braes o' Balquhidder?
Where the blaeberries grow,
'Mang the bonnie bloomin' heather.

I will twine thee a bower
By the clear siller fountain,
An' I'll cover it o'er
Wi' the flowers o' the mountain;
I will range through the wilds,
An' the deep glens sae dreary,
An' return wi' their spoils
To the bower o' my dearie.

Now the summer is in prime,
Wi' the flowers richly bloomin'
An' the wild mountain thyme
A' the moorlands perfumin',
To our dear native scenes
Let us journey together,
Where glad innocence reigns
'Mang the braes o' Balquhidder.

The Wild Mountain Thyme

Francis McPeake

O the summer time is coming
And the trees are sweetly blooming
And the wild mountain thyme
Grows around the purple heather
Will you go, lassie, go?

And we'll all go together
To pull wild mountain thyme
All around the purple heather
Will you go, lassie, go?

I will build my love a tower
By yon clear crystal fountain
And on it I will pile
All the flowers of the mountain
Will you go, lassie, go?

If my true love she was gone
I would surely find no other
To pull wild mountain thyme
All around the purple heather
Will you go, lassie, go?

Johnnie Cope Adam Skirving

Cope sent a letter frae Dunbar—
Charlie, meet me an' ye daur,
And I'll learn you the art o' war,
If you'll meet me in the morning.

Hey Johnnie Cope, are ye waukin' yet?
Or are your drums a-beating yet?
If ye were waukin' I wad wait
To gang to the coals i' the morning.

When Charlie look'd the letter upon,
He drew his sword the scabbard from:
Come follow me, my merry merry men,
And we'll meet Johnnie Cope in the morning.

Now, Johnnie, be as good's your word
Come let us try baith fire and sword;
And dinna flee away like a frighted bird,
That's chased frae its nest in the morning.

When Johnnie Cope he heard o' this,
He thought it wadna be amiss,
To hae a horse in readiness
To flee awa' in the morning.

Fy now, Johnnie, get up and rin,
The Highland bagpipes mak' a din;
It is best to sleep in a hale skin,
For 'twill be a bluidy morning.

When Johnnie Cope to Dunbar came,
They speir'd at him, Where's a' your men?
The deil confound me gin I ken,
For I left them a' i' the morning.

Now, Johnnie, troth ye are na blate,
To come wi' the news o' your ain defeat,
And leave your men in sic a strait
Sae early in the morning.

Oh! faith, quo' Johnnie, I got sic flegs,
Wi' their claymores and philabegs;
If I face them again, deil brak my legs—
So I wish you a gude morning.

Ay Waukin O   Robert Burns

Simmer's a pleasant time,
Flowers of every colour;
The water rins o'er the heugh,
And I long for my true lover!

Ay waukin, O,
Waukin still and weary:
Sleep I can get nane,
For thinking on my Dearie.

When I sleep I dream,
When I wauk I'm irie;
Sleep I can get nane,
For thinking on my Dearie.

Lanely night comes on,
A' the lave are sleepin:
I think on my bonnie lad,
And I bleer my een wi' greetin'.

Charlie He's My Darling Trad.

'Twas on a Monday morning,
Richt early in the year,
That Charlie cam' to our toun,
The young Chevalier.

And Charlie he's my darling,
My darling, my darling;
Charlie he's my darling,
The young Chevalier.

As he was walking up the street,
The city for to view,
O there he spied a bonnie lass,
The window looking through.

Sae licht's he jumped up the stair,
And tirl'd at the pin;
And wha sae ready as hersel'
To let the laddie in!

He set his Jenny on his knee,
All in his Highland dress;
For brawly weel he kenned the way
To please a bonny lass.

It's up yon heathery mountain,
And down yon scroggy glen,
We daurna gang a-milking,
For Charlie and his men.

The Lea-Rig Robert Burns

When o'er the hill the eastern star
Tells bughtin-time is near, my jo,
And owsen frae the furrow'd field
Return sae dowf and weary, O;
Down by the burn, where birken buds
Wi' dew are hangin' clear, my jo,
I'll meet thee on the lea-rig,
My ain kind Dearie, O.

At midnight hour, in mirkest glen,
I'd rove, and ne'er be eerie, O,
If thro' that glen I gaed to thee,
My ain kind Dearie, O;
Altho' the night were ne'er sae wild,
And I were ne'er sae weary,O,
I'll meet thee on the lea-rig,
My ain kind Dearie, O.

The hunter lo'es the morning sun,
To rouse the mountain deer, my jo;
At noon the fisher seeks the glen
Alang the burn to steer, my jo:
Gie me the hour o' gloamin' grey.
It maks my heart sae cheery, O,
To meet thee on the lea-rig,
My ain kind Dearie, O.

The Barnyards o' Delgaty Trad

In New deer parish I was born,
A child o' youth to Methlick came,
An' gin ye'll no believe a word,
The session clerk will tell the same.

Linten adie, toorin adie,
Linten adie toorin ae,
Linten lourin, lourin lourin,
Linten lourin, lourin lee.

Good education I did get,
And I did learn to read and write,
My parents they were proud o' me,
My mother in me took delight.

To bide upon my faither's fairm,
That was never my intent,
I lo'ed the lasses double weel,
And aye the weary drap to drink.

As I cam' in by Netherdale,
At Turra market for to fee,
I fell in wi' a fairmer chiel,
Frae the Barnyards o' Delgaty.

He promised me the ae best pair
I ever set my e'en upon,
When I gaed hame to Barnyards,
There was naething there but skin and bone.

The auld black horse sat on his rump,
The auld white meer lay on her wime,
And a' that I could hup and crack,
They wadna rise at yokin' time.

Meg MacPherson mak's my brose,
An' her an' me we canna 'gree,
First a mote and then a knot
And aye the ither jilp o' bree.

When I gang to the Kirk on Sunday,
Mony's the bonnie lassie I see,
Prim, sittin' by her daddy's side,
And winkin' ower the pews at me.

I can drink an' nae be drunk,
I can fight an' nae be slain,
I can court anither's lass,
An' aye be welcome to my ain.

My can'le noo it is brunt oot,
The snotter's fairly on the wane,
Sae fare ye weel, ye Barnyards,
Ye'll never catch me here again.

The Wee Room Underneath the Stair Trad.

If you're tired an' weary
And you're feeling blue
Don't give way to sorrow
I'll tell you what to do
Just tak a tram tae Springburn
You'll find auld Quinn's Bar there
And go doon tae the wee room
Underneath the stair.

And it's doon in the wee room
Underneath the stair
Ev'rybody's happy
Ev'rybody's there
And they're a' makin' merry
Each yin in his chair – WHERE?
Doon in the wee room
Underneath the stair.

A king he went a-hunting
His fortune for tae seek
Missed his tram at Partick
Went missin' fur a week
Efter days o' searchin'
Sorrow and despair
They fund him in the wee room
Underneath the stair.

Now I'm auld an' feeble
My bones are gettin' set
But I'm no' auld an' grumphy
Like other people yet
I'm savin' up my bawbees
Tae buy a hurly chair
Tae tak me tae the wee room
Underneath the stair.

Uist Tramping Song

Hugh S. Roberton

Come along, come along,
Let us foot it out together;
Come along, come along,
Be it fair or stormy weather,
With the hills of home before us
And the purple of the heather,
Let us sing in happy chorus,
Come along, come along.

So gaily sings the lark,
And the sky's all awake
With the promise of the day,
For the road we gladly take;
So it's heel and toe and forward
Bidding farewell to the town,
For the welcome that awaits us
Ere the sun goes down.

It's the call of sea and shore,
It's the tang of bog and peat,
And the scent of brier and myrtle
That puts magic in our feet;
So it's on we go rejoicing,
Over bracken, over stile;
And it's soon we will be tramping
Out the last long mile.

Comin' Thro' the Rye   Robert Burns

Gin a body meet a body
Comin' thro' the rye,
Gin a body kiss a body,
Need a body cry?
Ilka lassie has her laddie,
Nane they say hae I!
Yet a' the lads they smile on me,
When comin' thro' the rye.

Gin a body meet a body,
Comin' frae the well,
Gin a body kiss a body,
Need a body tell?
Ilka lassie has her laddie,
Ne'er a ane hae I!
But a' the lads they smile on me,
When comin' thro' the rye.

Gin a body meet a body
Comin' frae the town,
Gin a body greet a body,
Need a body frown?
Ilka lassie has her laddie,
Nane they say hae I!
But a' the lads they lo'e me weel,
And what the waur am I?

Amang the train there is a swain
I dearly lo'e mysel',
But whaur his hame, or what his name
I dinna care to tell!
Ilka lassie has her laddie,
Nane they say hae I!
But a' the lads they lo'e me weel,
And what the waur am I?

A Wee Drappie O't Trad.

This life is a journey we a' hae tae gang,
And care is the burden we cairry alang.
Though heavy be the burden and poverty oor lot,
We'll be happy a' thegither ower a wee drappie o't.

Ower a wee drappie o't
Ower a wee drappie o't
We'll be happy a' thegither
Ower a wee drappie o't.

The trees are a' stripped o' their mantle o' green,
The leaves o' the forest nae langer are seen.
Cauld winter is here wi' its dreich icy coat,
But we're happy a' thegither ower a wee drappie o't.

Job in his lamentation said man was made tae murn,
That there's nae sic thing as pleesure frae the cradle tae the urn,
But in his meditation Job shairly had forgot,
The pleesure man derives ower a wee drappie o't.

Duncan Gray   Robert Burns

Duncan Gray cam' here to woo,
Ha, ha, the wooing o't,
One blythe Yule nicht, when we were fu',
Ha, ha, the wooing o't;
Maggie cuist her head fu' heich,
Look'd asklant, and unco skeigh,
Gart puir Duncan stand abeigh—
Ha, ha, the wooing o't.

Duncan fleech'd, and Duncan pray'd,
Ha, ha, the wooing o't;
Meg was deaf as Ailsa Craig,
Ha, ha, the wooing o't.
Duncan sighed baith out and in,
Grat his een baith bleert and blin',
Spak o' louping ower a linn—
Ha, ha, the wooing o't.

Time and chance are but a tide,
Ha, ha, the wooing o't.
Slichtit love is sair to bide,
Ha, ha, the wooing o't;
Shall I, like a fool, quoth he,
For a hauchty hizzy dee?
She may go to—France, for me!
Ha, ha, the wooing o't.

How it comes, let doctors tell,
Ha, ha, the wooing o't,
Meg grew sick—as he grew well,
Ha, ha, the wooing o't;
Something in her bosom wrings,
For relief a sigh she brings;
And O, her een, they spak' sic things!
Ha, ha, the wooing o't.

Duncan was a lad o' grace,
Ha, ha, the wooing o't,
Maggie's was a piteous case,
Ha, ha, the wooing o't.
Duncan couldna be her death,
Swelling pity smoor'd his wrath,
Now they're crouse and cantie baith;
Ha, ha, the wooing o't.

Bonnie at Morn Trad.

Canny at nicht,
Bonnie at morn,
Thou's ower lang in thy bed,
Bonnie at morn.

The sheep are in the meadow,
The kye are in the corn,
Thou's ower lang in thy bed,
Bonnie at morn.

The bird is in its nest,
And the troot is in the burn,
Thou hinders thy mammy,
At every turn.

We're a' laid idle,
Wi' the keepin' o' the bairn,
The lad winna work,
And the lass winna learn.

Afton Water   Robert Burns

Flow gently, sweet Afton, among thy green braes,
Flow gently, I'll sing thee a song in thy praise;
My Mary's asleep by thy murmuring stream,
Flow gently, sweet Afton, disturb not her dream.

Thou stock dove whose echo resounds thro' the glen,
Ye wild whistling blackbirds in yon thorny den,
Thou green crested lapwing thy screaming forbear,
I charge you disturb not my slumbering Fair.

How lofty, sweet Afton, thy neighbouring hills,
Far mark'd with the courses of clear, winding rills;
There daily I wander as noon rises high,
My flocks and my Mary's sweet Cot in my eye.

How pleasant thy banks and green valleys below,
Where, wild in the woodland, the primroses blow;
There oft as mild ev'ning weeps over the lea,
The sweet-scented birk shades my Mary and me.

Thy crystal stream, Afton, how lovely it glides,
And winds by the cot where my Mary resides;
How wanton thy waters her snowy feet lave,
As, gathering sweet flowerets, she stems thy clear wave.

Flow gently, sweet Afton, among thy green braes,
Flow gently, sweet River, the theme of my lays;
My Mary's asleep by thy murmuring stream,
Flow gently, sweet Afton, disturb not her dream.

An Auld Maid in a Garret Trad.

Noo I've aft times heard it said by my faither an' my mither,
That tae gang tae a waddin' is the makins o' anither.
If this be true, then I'll gang wi'oot a biddin'.
O kind Providence won't you send me tae a waddin'.

For it's Oh, dear me! whit will I dae,
If I dee an auld maid in a garret?

Noo there's ma sister, Jean, she's no handsome or good-lookin',
Scarcely sixteen an' a fellow she was coortin'.
Noo she's twenty-four wi' a son an' a dochter.
An' I'm forty-twa an' I've never had an offer.

I can cook an' I can sew, I can keep the hoose right tidy,
Rise up in the morning and get the breakfast ready.
But there's naething in this wide world would mak' me half sae cheery,
As a wee fat man that would ca' me his ain dearie.

Oh, come tinker, come tailor, come soldier or come sailor,
Come ony man at a' that would tak me fae my faither.
Come rich man, come poor man, come wise man or come witty,
Come ony man at a' that would mairry me for pity.

Oh, I'll awa hame fur there's naebody heedin',
Naebody heedin' tae puir Annie's pleadin'.
I'll awa hame tae my ain wee bit garret—
If I canna get a man then I'll shairly get a parrot.

The Baron o' Brackley Trad.

Doon Deeside cam' Inverey, whistlin' an' playin'
An' he was at Brackley's yetts as the day was dawin',
Says 'Baron o' Brackley, Oh are ye within?
There are shairp swords doon at your yetts will gar your bleed spin.'

'Oh rise up my baron and turn back your kye,
For the lads frae Dumwharran are driving them by.'
'Oh how can I rise up or turn them again
For whaur I hae ae man, I'm sure they hae ten.'

'Gin I had a husband, as I wat I hae nane,
He widna lie in his bed, an' watch his kye ta'en.'
Then up got the Baron, says 'Gie me my gun,
For I will gyang oot, love, tho' I'll never win hame.'

When Brackley was buskit an' rade ower the closs,
A gallanter baron ne'er lap tae a horse;
'Come kiss me my Peggy, nor think I'm tae blame,
I weel may gae oot, love, but I'll never win hame.'

There cam' wi' fause Inverey thirty an' three,
There was nane wi' bonny Brackley but his brother and he.
Twa gallanter Gordons did never sword draw;
But against three an' thirty, wae is me, what is twa?

Wi' swords an' wi' daggers they did him surroun'
And they've pierced bonny Brackley wi' mony's the woun'.
Frae the heid o' the Dee tae the banks o' the Spey,
The Gordons shall mourn him an' ban Inverey.

'Oh cam' ye by Brackley's yetts, or was ye in there,
Or saw ye his Peggy a-rivin' her hair?'
'Oh I cam by Brackley's yetts, an' I was in there,
An' I saw his Peggy,—she was makin' gude cheer.'

She was rantin' an' dancin' an' singin' for joy
An' vowin' that on that nicht she would feast Inverey.
She drank wi' him, laughed wi' him, welcomed him ben,
She kept him till morning wha had slain her gude man.

There's grief in the kitchen, but there's mirth in the ha'
For the Baron o' Brackley is deid an' awa'
But up spak his son on the nurse's knee
'Gin I live tae be a man, revenged I'll be.'

Hey, Ca' Thro' Robert Burns

Up wi' the carls o' Dysart,
And the lads o' Buckhaven,
And the kimmers o' Largo,
And the lasses o' Leven.

Hey, ca' thro', ca' thro', for we hae mickle a-do,
Hey, ca' thro', ca' thro', for we hae mickle a-do.

We hae tales to tell
And we hae sangs to sing;
We hae pennies to spend,
And we hae pints to bring.

We'll live a' our days,
And they that comes behin',
Let them do the like,
And spend the gear they win!

The Highland Division's Farewell to Sicily

Hamish Henderson

The pipie is dozie, the pipie is fey;
He winna come roon' for his vino the day.
The sky ow'r Messina is unco and grey,
An' a' the bricht chaulmers are eerie.

Then fareweel, ye banks o' Sicily
Fare ye weel ye valley and shaw,
There's nae Jock will mourn the kyles o' ye,
Puir bliddy swaddies are weary.

Fareweel, ye banks o' Sicily,
Fare ye weel ye valley and shaw.
There's nae hame can smoor the wiles o' ye,
Puir bliddy swaddies are weary.

Then doon the stair and line the water-side,
Wait your turn, the ferry's awa',
Then doon the stair and line the water-side,
A' the bricht chaulmers are eerie.

The drummie is polisht, the drummie is braw—
He cannae be seen for his webbin' ava.
He's beezed himsel' up for a photy an a'
Tae leave wi' his Lola, his dearie.

Sae fare weel, ye dives o' Sicily,
(Fare ye weel, ye shieling an' ha');
We'll a' mind shebeens and bothies
Whaur kind signorinas were cheerie.

Fareweel, ye banks o' Sicily
(Fare ye weel, ye shieling an' ha');
We'll a' mind shebeens and bothies
Whaur Jock made a date wi' his dearie.

Then tune the pipes an' drub the tenor drum
(Leave your kit this side o' the wa');
Then tune the pipes an' drub the tenor drum.
A' the bricht chaulmers are eerie.

Reproduced by kind permission of Hamish Henderson.

Killiecrankie James Hogg

Where hae ye been sae braw, lad!
Where hae ye been sae brankie, O!
Where hae ye been sae braw, lad?
Cam ye by Killiecrankie, O?

An ye had been where I hae been,
Ye wad na been sae cantie O;
An ye had seen what I hae seen,
On the braes o' Killiecrankie, O.

I fought at land, I fought at sea;
At hame I fought my Auntie, O;
But I met the devil and Dundee,
On the braes o' Killiecrankie, O.

The bauld Pitcur fell in a furr,
An' Clavers got a clankie, O;
Or I had fed an Athol gled,
On the braes o' Killiecrankie, O.

Cam' Ye By Athol? James Hogg

Cam' ye by Athol, lad wi' the philabeg,
Down by the Tummel, or banks o' the Gary?
Saw ye the lads, wi' their bonnets an' white cockades,
Leaving their mountains to follow Prince Charlie?

Follow thee, follow thee, wha wadna follow thee?
Lang hast thou loved an' trusted us fairly!
Charlie, Charlie, wha wadna follow thee?
King o' the Highland hearts, bonnie Prince Charlie.

I hae but ae son, my gallant young Donald;
But if I had ten, they should follow Glengarry;
Health to McDonald, and gallant Clan-Ronald,
For these are the men that will die for their Charlie.

I'll to Lochiel and Appin, and kneel to them;
Down by Lord Murray and Roy of Kildarlie;
Brave Mackintosh, he shall fly to the field wi' them;
These are the lads I can trust wi' my Charlie.

Down thro' the Lowlands, down wi' the whigamore,
Loyal true Highlanders, down wi' them rarely;
Ronald and Donald drive on wi' the braid claymore,
Over the necks of the foes o' Prince Charlie.

Lewis Bridal Song Hugh S. Roberton

Step we gaily, on we go,
Heel for heel and toe for toe,
Arm in arm and row on row,
All for Mairi's wedding.

Over hill-ways up and down,
Myrtle green and bracken brown,
Past the sheilings, thro' the town;
All for sake o' Mairi.

Red her cheeks as rowans are,
Bright her eye as any star,
Fairest o' them a' by far,
Is our darling Mairi.

Plenty herring, plenty meal,
Plenty peat to fill her creel,
Plenty bonnie bairns as weel;
That's the toast for Mairi.

My Bonnie Moorhen Trad.

My bonnie moorhen, my bonnie moorhen
Up in the grey hills and doon in the glen
It's when ye gang but the hoose, when ye gang ben
I drink the health o' my bonnie moorhen.

My bonnie moorhen has gaed ower the main
And it will be summer when she comes again
When she comes back again some folk will ken
O joy be with thee my bonnie moorhen.

My bonnie moorhen has feathers anew
She's a' bricht colours but nane o' them blue
She's red and she's white, and she's green and she's grey
My bonnie moorhen come hither away.

Come up by Glen Duich and doon by Glen Dee
And roond by Kinclaven and hither tae me
Ronald and Donald lie low in the fen
Tae brak' the wing o' my bonnie moorhen.

My bonnie moorhen has gaed ower the main
And it will be summer when she comes again
When she comes back again some folk will ken
O joy be with thee my bonnie moorhen.

Mary Morison Robert Burns

O, Mary, at thy window be,
It is the wish'd, the trysted hour!
Those smiles and glances let me see,
That make the miser's treasure poor:
How blythely wad I bide the stour,
A weary slave frae sun to sun,
Could I the rich reward secure,
The lovely Mary Morison.

Yestreen, when to the trembling string
The dance gaed thro' the lighted ha',
To thee my fancy took its wing,
I sat, but neither heard nor saw:
Tho' this was fair, and that was braw,
And yon the toast of a' the town,
I sigh'd, and said amang them a',
'Ye are na Mary Morison.'

O Mary, canst thou wreck his peace,
Wha for thy sake wad gladly die?
Or canst thou break that heart of his,
Whase only faut is loving thee?
If love for love thou wilt na gie,
At least be pity to me shown;
A thought ungentle canna be
The thought o' Mary Morison.

MacPherson's Fareweel Trad.

Fareweel ye dungeons dark and strong,
Fareweel, fareweel to thee.
MacPherson's time will no' be long
On yonder gallows tree.

Sae rantinly, sae wantonly, sae dauntinly gaed he,
He played a tune and danced it roon'
Ablow the gallows tree.

'Twas by a woman's treacherous hand
That I was condemned to dee.
Abune a ledge at a window she stood,
And a blanket she threw o'er me.

The Laird o' Grant, that Highland saint,
That first laid hands on me,
He pled the cause o' Peter Broon.
To let MacPherson dee.

Untie these bands frae aff my hands,
And gie to me my sword,
An' there's no' a man in all Scotland
But I'll brave him at his word.

There's some come here to see me hanged,
And some to buy my fiddle,
But afore I ever pairt wi' her,
I'll brak her thro' the middle.

He took the fiddle in baith hands,
And he brak it ower a stane,
Saying, nae ither hand sall play on thee
When I am deid and gane.

O, little did my mother think
When first she cradled me,
That I would turn a rovin' boy
And die on the gallows tree.

The reprieve was comin' ower the Brig o' Banff
To set MacPherson free,
But they pit the nock a quarter afore
And hanged him frae the tree.

Merry May the Keel Row Trad.

As I cam' doun the Cannogate,
The Cannogate, the Cannogate,
As I cam' doun the Cannogate,
I heard a lassie sing, O:

Merry may the keel row,
The keel row, the keel row,
Merry may the keel row,
The ship that my love's in.

My love has breath o' roses,
O' roses, o' roses,
Wi' arms o' lily posies,
To fauld a lassie in, O!

My love he wears a bonnet,
A bonnet, a bonnet,
A snawy rose upon it,
A dimple on his chin, O!

The Hiking Song Alex Rankin

O the wanderlust is on me
And tonight I strike the trail,
And the morning sun will find me
In the lovely Lomond Vale,
Then I'll hike it thro' Glen Falloch
Where the mountain breezes blow
And I'll drum up in the evening
In the valley of Glen Coe.

Then swing along to a hiking song
On the highway winding west,
Tramping Highland glens and bracken bens
To greet the Isles we love the best.

Islay, Jura, Scarba, Lunga
And the islands of the Sea.
Luing and Mull, Colonsay, Staffa,
Coll, Iona and Tiree.
'Sgur' of Eigg and Rum and Canna,
With the Minch waves rolling high
And the heather tinted Cuillins
Of the lovely Isle of Skye.

There I'll bivouac and slumber,
Till the dawn gives place to day;
And I'll wander by the river
That inspired old Ossian's lay;
Then I'll do some mountaineering,
On the Bidean's snowy crest,
Where I'll view the hills of Derry,
And the islands of the west.

When the wanderlust will leave me
As I grow too old to roam,
Still the memory will linger
Of my lovely Highland home;

Silv'ry streams and rumbling rivers,
Verdant vales and glorious glens,
And the pride of Caledonia's
Heather hills and bracken bens.

The Banks o' Doon Robert Burns

Ye banks and braes o' bonnie Doon,
How can ye bloom sae fresh and fair!
How can ye chant, ye little birds,
And I sae weary, fu' o' care!
Thou'll break my heart, thou warbling bird
That wantons thro' the flowering thorn:
Thou minds me o' departed joys,
Departed, never to return.

Aft hae I rov'd by bonnie Doon,
To see the rose and woodbine twine;
And ilka bird sang o' its luve,
And fondly sae did I o' mine;
Wi' lightsome heart I pu'd a rose,
Fu' sweet upon its thorny tree;
And my fause lover staw my rose,
But, ah! he left the thorn wi' me.

A Man's a Man for A' That

Robert Burns

Is there for honest Poverty
That hings his head, and a' that?
The coward-slave, we pass him by,
We daur be poor for a' that!
For a' that, and a' that,
Our toils obscure, and a' that,
The rank is but the guinea's stamp,
The Man's the gowd for a' that!

What though on hamely fare we dine,
Wear hoddin grey, and a' that;
Gie fools their silks and knaves their wine,
A Man's a Man for a' that.
For a' that, and a' that,
Their tinsel show, and a' that;
The honest man, tho' e'er sae poor,
Is king o' men for a' that!

Ye see yon birkie ca'd a lord,
Wha struts, and stares, and a' that,
Though hundreds worship at his word,
He's but a coof for a' that:
For a' that, and a' that,
His ribband, star and a' that;
The man of independent mind
He looks and laughs at a' that.

A prince can mak a belted knight,
A marquis, duke and a' that;
But an honest man's abune his might
Gude faith, he maunna fa' that!
For a' that, and a' that,
Their dignities, and a' that;
The pith o' sense and pride o' worth
Are higher rank than a' that!

Then let us pray that come it may,
As come it will for a' that
That Sense and Worth, o'er a' the earth,
May bear the gree, and a' that.
For a' that, and a' that,
It's comin yet for a' that,
That Man to Man, the world o'er,
Shall brothers be for a' that!

Lowlands Away Trad.

Lowlands, lowlands away my John.
I dreamed a dream the other night
Lowlands away.

I dreamt I saw my own true love
Lowlands, lowlands away my John.
I dreamt I saw my own true love
Lowlands away.

I dreamt my love was drowned and dead
Lowlands, lowlands away my John.
I dreamt my love was drowned and dead
Lowlands away.

The John Maclean March Hamish Henderson

Hey Mac, did ye see him as ye cam' doon by Gorgie,
Awa' ower the Lammerlaw or north o' the Tay?
Yon man is comin', and the haill toon is turnin' oot:
We're a' shair he'll win back to Glesgie the day.
The jiners and hauders-on are marchin' frae Clydebank;
Come on noo an' hear him—he'll be ower thrang tae bide.
Turn oot, Jock and Jimmie: leave your crans and your muckle gantries.
Great John Maclean's comin' back tae the Clyde.
Great John Maclean's comin' back tae the Clyde.

Argyle Street and London Road's the route that we're marchin'—
The lads frae the Broomielaw are here—tae a man!
Hi Neil, whaur's your hadarums, ye big Hielan' teuchter?
Get your pipes, mate, an' march at the heid o' the clan.
Hello Pat Malone: sure I knew ye'd be here so:
The red and the green lad we'll wear side by side.
Gorbals is his the day, and Glesgie belongs to him.
Ay, great John Maclean's comin' hame tae the Clyde.
Great John Maclean's comin' hame tae the Clyde.

Forward tae Glesgie Green we'll march in guid order:
Wull grips his banner weel (that boy isna blate).
Ay there, man that's Johnnie noo—that's him there, the bonnie fechter.
Lenin's his fiere, lad, an' Liebknecht's his mate.
Tak tent when he's speakin', for they'll mind whit he said here
In Glesgie, oor city—an' the haill warld beside.
Och hey, lad, the scarlet's bonnie: here's tae ye, Hielan' Shony!
Oor John Maclean has come hame tae the Clyde.
Oor John Maclean has come hame tae the Clyde.

Aweel, noo it's feenished, I'll awa back tae Springburn
(Come hame tae your tea John, we'll sune hae ye fed).
It's hard work the speakin': och, I'm shair he'll be tired the nicht
I'll sleep on the flair, Mac, and gie John the bed.
The haill city's quiet noo: it kens that he's restin'
At hame wi' his Glesgie freens, their fame and their pride!
The red will be worn, my lads, an' Scotland will march again
    Noo great John Maclean has come hame tae the Clyde.
    Great John Maclean has come hame tae the Clyde.

(Repeat first verse, starting very softly and working up to Crescendo)

Reproduced by kind permission of Hamish Henderson.

The Bonnie Earl o' Moray Trad.

Ye Hielands and ye Lowlands,
O where ha'e ye been?
They ha'e slain the Earl o' Moray,
And laid him on the green.
They ha'e slain the Earl o' Moray,
And laid him on the green.

Now wae be to thee Huntly,
And wherefore did ye sae?
I bade you bring him wi' you,
But forbade you him to slay.
I bade you bring him wi' you,
But forbade you him to slay.

He was a braw gallant,
And he rid at the ring,
And the bonnie Earl o' Moray,
Oh! he might have been a king.
And the bonnie Earl o' Moray,
Oh! he might have been a king.

He was a braw gallant,
And he played at the ba',
And the bonnie Earl o' Moray,
Was the flower amang them a'.
And the bonnie Earl o' Moray,
Was the flower amang them a'.

He was a braw gallant,
And he played at the glove,
And the bonnie Earl o' Moray,
Oh! he was the Queen's true love.
And the bonnie Earl o' Moray,
Oh! he was the Queen's true love.

Oh! lang will his lady,
Look o'er the Castle Down,
Ere she see the Earl o' Moray,
Come sounding thro' the town.
Ere she see the Earl o' Moray,
Come sounding thro' the town.

Jock Stewart Trad.

Now my name is Jock Stewart,
I'm a canny gaun man,
And a roving young fellow I've been.

So be easy and free
When you're drinkin' wi' me
I'm a man you don't meet every day.

I have acres of land,
I have men at command,
I have always a shilling to spare.

Now, I took out my gun,
With my dog for to shoot
Along by the banks of the Spey.

So, come fill up your glasses
Of brandy and wine,
And whatever the cost, I will pay.

Crookit Bawbee Trad.

Oh, whaur awa' got ye that auld crookit penny?
For ane o' bright gowd wad ye niffer wi' me?
Richt fou are baith ends o' my green silken wallet,
And braw will your hame be in bonnie Glenshee.
It's 'Oh, gin I saw the dear laddie that had it,
Wha, when we were bairnies twa gied it to me;
For a' the bricht gowd in your green silken wallet,
I never wad niffer my crookit bawbee.

Oh, whaur awa' got ye that auld worsted plaidie?
A mantle o' satin were fitter for thee;
I will cleed ye wi' satin and mak' ye a lady,
Gin ye will gang wi' me to bonnie Glenshee.
Ye may cleed me wi' satin and mak' me a lady,
And tak' me aff wi' you to bonnie Glenshee,
But the heart that beats true 'neath this auld worsted plaidie
Was gi'en him lang syne for this crookit bawbee.

Ye ken na' the laddie that gied ye the penny,
Ye ken na' the laddie wha's been true to thee;
But I ken the lassie that wears the auld plaidie,
The lassie that's keepit my crookit bawbee.
And ye are the laddie that gied me the penny,
The laddie I'll lo'e till the day that I dee;
Ye may cleed me in satin and mak' me a lady,
And I will gang wi' ye to bonnie Glenshee.

The Rowan Tree Trad.

Oh, Rowan tree! Oh, Rowan tree! thou'lt aye be dear to me,
Entwined thou art wi' mony ties o' hame and infancy;
Thy leaves were aye the first o' spring, thy flow'rs the simmer's pride;
There was nae sic a bonnie tree in a' the countrie side.

How fair wert thou in simmer time, wi' a' thy clusters white,
How rich and gay thy autumn dress, wi' berries red and bright.
We sat aneath thy spreading shade, the bairnies round thee ran;
They pu'd thy bonnie berries red, and necklaces they strang.

On thy fair stem were mony names, which now nae mair I see,
But they're engraven on my heart, forgot they ne'er can be!
My mother! oh! I see her still, she smil'd our sports to see;
Wi' little Jeannie on her lap, wi' Jamie at her knee!

Oh! there arose my father's prayer, in holy evening's calm,
How sweet was then my mother's voice, in the Martyr's psalm;
Now a' are gane! We meet nae mair aneath the Rowan tree,
But hallowed thoughts around thee twine o' hame and infancy.

I'm a Rover Trad.

I'm a rover and seldom sober,
I'm a rover o' high degree;
It's when I'm drinking I'm always thinking
How to gain my love's company.

Though the nicht be as dark as dungeon,
No' a star to be seen above,
I will be guided without a stumble
Into the airms o' my ain true love.

He steppit up to her bedroom window,
Kneelin' gently upon a stone,
He rappit at her bedroom window:
'Darlin' dear, do you lie alone?'

She raised her head on her snaw white pillow,
Wi' her airms aboot her breast,
'Wha is that at my bedroom window,
Disturbing me at my lang night's rest?'

'It's only me, your ain true lover;
Open the door and let me in,
For I hae come on a lang journey
And I'm near drenched unto the skin.'

She opened the door wi' the greatest pleasure,
She opened the door and she let him in.
They baith shook hands and embraced each other,
Until the morning they lay as one.

The cocks were crawin', the birds were whistlin',
The burns they ran free abune the brae:
'Remember lass I'm a ploughman laddie
And the fairmer I must obey.

'Noo ma love, I must go and leave you,
Tae climb the hills, they are far above;
But I will climb them wi' the greatest pleasure,
Since I've been in the airms o' my love'

I'll Lay Ye Doon, Love Trad.

'I'll lay ye doon, love, I'll treat ye decent,
I'll lay ye doon, love, I'll fill your can.
I'll lay ye doon, love, I'll treat ye decent.'
For surely he is an honest man.

As I walked oot on a simmer evening,
Doon by the water and the pleasant sand,
And as I was walking, sure I could hear them talking,
Saying surely he is an honest man.

I hae traivelled far frae Inverey,
Aye and as far as Edinburgh toon,
But it's I must gae, love, and traivel further,
And when I return I will lay ye doon.

I maun leave ye noo, love, but I'll return
Tae ye my love and I'll tak' your hand,
Then no more I'll roam frae ye my love,
No more tae walk on the foreign sand.

Bonnie Strathyre Harold Boulton

There's meadows in Lanark and mountains in Skye,
And pastures in Hielands and Lawlands forbye;
But there's nae greater luck that the heart could desire,
Than to herd the fine cattle in bonnie Strathyre.

O it's up in the morn and awa' to the hill,
When the lang simmer days are sae warm and sae still,
Till the peak o' Ben Vorlich is girdled wi' fire,
And the evenin' fa's gently on bonnie Strathyre.

Then there's mirth in the sheiling and love in my breast,
When the sun is gane doun and the kye are at rest;
For there's mony a prince wad be proud to aspire,
To my winsome wee Maggie, the pride o' Strathyre.

Her lips are like rowans in ripe simmer seen,
And mild as the starlicht the glint o' her e'en;
Far sweeter her breath than the scent o' the briar,
And her voice is sweet music in bonnie Strathyre.

Set Flora by Colin, and Maggie by me,
And we'll dance to the pipes swellin' loudly and free,
Till the moon in the heavens climbing higher and higher
Bids us sleep on fresh brackens in bonnie Strathyre.

Though some to gay touns in the Lawlands will roam,
And some will gang sodgerin' far from their home;
Yet I'll aye herd my cattle, and bigg my ain byre,
And love my ain Maggie in bonnie Strathyre.

Willie's Gane to Melville Castle Trad.

O! Willie's gane to Melville Castle, boots and spurs an' a',
To bid the leddies a' fareweel, before he gaed awa'.
Willie's young, an' blythe an' bonnie, lo'ed by ane an' a',
O! what will a' the lasses do, when Willie gaes awa'?

The first he met was Lady Kate, she led him thro' the ha',
And wi' a sad and sorry heart she let the tears doon fa';
Beside the fire stood Lady Grace, said ne'er a word ava';
She thocht that she was sure o' him before he gaed awa'.

Then ben the house cam' Lady Bell, 'Gude troth, ye needna craw,
Maybe the lad will fancy me, an' disappoint ye a';
Doon the stair trip't Lady Jean, the flow'r among them a',
'O! lasses trust in Providence, and ye'll get husbands a'.'

When on his horse he rode awa', they gather'd round the door,
He gaily wav'd his bonnet blue, they set up sic a war!
Their cries, their tears brought Willie back, he kiss'd them ane an' a',
'O! lasses, bide till I come hame, and then I'll wed ye a'.'

Lassie wi' the Yellow Coatie

James Duff

Lassie wi' the yellow coatie,
Will ye wad a muirlan' Jockie?
Lassie wi' the yellow coatie,
Will ye busk an' gang wi' me?

I hae meal and milk in plenty,
I hae kail an' cakes fu' dainty,
I've a but an' ben fu' genty,
But I need a wife like thee.

Although my mailen be but sma',
An' little gowd I hae to shaw,
I hae a heart without a flaw,
An' I will gie it a' to thee.

Wi' my lassie an' my doggie,
O'er the lea an' through the boggie,
Nane on earth was e'er sae vogie,
Or sae blythe as we will be.

Haste ye, lassie, to my bosom
While the roses are in blossom;
Time is precious, dinna lose them—
Flowers will fade, an' sae will ye.

FINAL CHORUS
Lassie wi' the yellow coatie,
Ah! tak' pity on your Jockie;
Lassie wi' the yellow coatie,
I'm in haste, an' sae should ye.

The Road to the Isles   Kenneth Macleod

A far croonin' is pullin' me away
As take I wi' my cromach to the road,
The far Cuillins are puttin' love on me,
As step I wi' the sunlight for my load.

Sure, by Tummel and Loch Rannoch and Lochaber I will go,
By heather tracks wi' heaven in their wiles;
If it's thinkin' in your inner heart braggart's in my step,
You've never smelt the tangle o' the Isles.
Oh, the far Cuillins are puttin' love on me,
As step I wi' my cromach to the Isles.

It's by Shiel water the track is to the west,
By Ailort and by Morar to the sea,
The cool cresses I am thinkin' o' for pluck,
And bracken for a wink on Mother knee.

It's the blue Islands are pullin' me away,
Their laughter puts the leap upon the lame,
The blue Islands from the Skerries to the Lews,
Wi' heather honey taste upon each name.

Annie Laurie   Mr. Douglass

Maxwelton braes are bonnie,
Where early fa's the dew,
And it's there that Annie Laurie
Gied me her promise true;
Gied me her promise true,
Which ne'er forgot will be;
And for bonnie Annie Laurie
I'd lay me doon and dee.

Her brow is like the snaw-drift,
Her throat is like the swan,
Her face it is the fairest
That e'er the sun shone on;
That e'er the sun shone on,
And dark blue is her e'e;
And for bonnie Annie Laurie
I'd lay me doon and dee.

Like dew on the gowan lying,
Is the fa' o' her fairy feet;
And like winds in summer sighing,
Her voice is low and sweet.
Her voice is low and sweet,
And she is a' the world to me;
And for bonnie Annie Laurie
I'd lay me doon and dee.

The Bonnie Banks o' Loch Lomond

Trad.

By yon bonnie banks, and by yon bonnie braes,
Where the sun shines bright on Loch Lomond,
There me and my true love spent mony happy days,
On the bonnie, bonnie banks o' Loch Lomond.

O ye'll tak' the high road, an' I'll tak' the low road,
And I'll be in Scotland afore ye;
But me and my true love will never meet again,
On the bonnie, bonnie banks o' Loch Lomond.

'Twas there that we parted in yon bonnie glen,
On the steep, steep side o' Ben Lomond,
Where in purple hue the Highland hills we view,
And the moon glints out in the gloamin'.

There the wild flowers spring, and the wee birdies sing,
And in sunshine the waters are sleepin',
But the broken heart it kens nae second spring,
Though resigned we may be while we're greetin'.

The Banks o' Red Roses Trad.

On the banks o' the red roses,
My love and I sat doon.
An' he's taen oot his tunin' box,
To play his love a tune.
In the middle o' the tune,
She sighed and she said,
Oh Johnny, lovely Johnny, dinna leave me.

When I was a young lass,
I heard my mither say,
That I would be a rovin' lass
An' easily led astray.
Before I would wark,
I'd raither sport an' play,
Wi' my Johnny on the banks o' red roses.

They baith walkit doon,
Till they cam' tae a grave.
Whaur Johnny the hale day lang
Had been delvin wi' a spade.
Whaur Johnny the hale day lang
Had been delvin' wi' a spade.
By the bonnie, bonnie banks o' red roses.

Then he took oot his penknife,
It bein' lang an' shairp.
And he speared it through an' through
His bonnie lassie's he'rt.
He speared it through an' through
His bonnie lassie's he'rt.
An' he left her lyin' there amang red roses.

So come all ye young maidens,
An' a learnin' tak frae me.
Never care tae enter
Wi' a young man's company.
They're sweet tae your face,
An' they're shair tae treat ye free.
But they'll leave ye lyin' low amang red roses.

My Bonnie Mary Robert Burns

Go, fetch to me a pint o' wine,
And fill it in a silver tassie,
That I may drink, before I go,
A service to my bonnie lassie:
The boat rocks at the Pier o' Leith,
Fu' loud the wind blaws frae the Ferry,
The ship rides by the Berwick-Law,
And I maun leave my bonnie Mary.

The trumpets sound, the banners fly,
The glittering spears are ranked and ready,
The shouts o' war are heard afar,
The battle closes deep and bloody:
It's not the roar o' sea or shore
Wad make me langer wish to tarry;
Nor shouts o' war that's heard afar,
It's leaving thee, my bonnie Mary!

Jamie Foyers Trad.

Far distant, far distant, lies Scotia the brave,
No tombstone memorial shall hallow his grave.
His bones they are scatter'd on the rude soil of Spain,
For young Jamie Foyers in battle was slain.

From the Perthshire Militia to serve in the line,
The brave Forty-second we sailed for to join.
To Wellington's army we did volunteer,
Along with young Foyers, that brave halberdier.

The night that we landed the bugle did sound,
The general gave orders to form on the ground.
To storm Burgos Castle before break of day,
And young Jamie Foyers to lead on the way.

But mounting the ladder for scaling the wall,
By a shot from a French gun young Foyers did fall,
He leaned his right arm upon his left breast,
And young Jamie Foyers his comrades addressed.

'For you, Robert Percy, that stands a campaign,
If goodness should send to old Scotland again,
Please tell my old father if yet his heart warms,
That young Jamie Foyers expired in your arms.

But if a few moments in Campsie I were,
My mother and sisters my sorrow would share.
Now, alas, my old mother, long may she mourn,
But young Jamie Foyers will never return.

Oh! if I could drink of Baker Brown's well,
My thirst it would quench and my fever would quell.'
But his very life-blood was ebbing so fast,
And young Jamie Foyers soon breathed his last.

They took for his winding sheet his ain tartan plaid,
And in the cold ground his body was laid.
With hearts full of sorrow they covered his clay,
And, saying 'Poor Foyers', marched slowly away.

His father and mother and sisters will mourn,
But Foyers, the brave hero, will never return.
His friends and his comrades lament for the brave,
Since young Jamie Foyers is laid in his grave.

The bugle may sound and war drum may rattle,
No more will they raise this young hero to battle.
He fell from the ladder a hero so brave,
And rare Jamie Foyers is lying in his grave.

Bonnie Wee Thing Robert Burns

Wishfully I look and languish
In that bonnie face o' thine;
And my heart it stounds wi' anguish,
Lest my wee thing be na mine.

Bonnie wee thing, cannie wee thing,
Lovely wee thing, was thou mine;
I wad wear thee in my bosom,
Lest my jewel I should tine.

Wit, and Grace, and Love, and Beauty,
In ae constellation shine;
To adore thee is my duty,
Goddess o' this soul o' mine!

Air Falalalo Hugh S. Roberton

Air falalalo horo, air falalalay,
Air falalalo horo, air falalalay,
Air falalalo horo, air falalalay,
Falee falo, horo air falalalay.

There's lilt in the song I sing, there's laughter and love;
There's tang of the sea, and blue from heaven above;
Of reason there's none, and why should there be, forbye,
With the fire in the blood and toes, the light in the eye?

The heather's ablaze wi' bloom; the myrtle is sweet;
There's song in the air; the road's a song at our feet;
So step it along as light as the bird on the wing,
And, stepping along, let's join our voices and sing.

And whether the blood be Highland, or Lowland or no';
And whether the hue be white, or black as the sloe;
Of kith and of kin we're one, be it right, be it wrong,
If only our hearts beat true to the lilt o' the song.

My Donald Owen Hand

My Donald he works on the sea
Wi' the wind blowin' wild an' free.
He splices the ropes and he sets the sails,
Then he is awa' to the hame o' the whale.

He ne'er thinks o' me far behind
Or the torments that rage in my mind.
He's mine for only half part o' the year,
Then I'm left alane wi' nocht but a tear.

Ye ladies wha smell o' wild rose
Think ye for yir perfume to whaur a man goes.
Think ye o' the wives an' the bairnies wha yearn
For a man ne'er returned frae huntin' the sperm.

Udny's Wa's Trad.

I'm the laird o' Udny's Wa's
An' I've cam' here wi' richt guid cause
I've got mair than forty Fa's
Comin' oot ower the plains.

Oh lat me in this ae nicht
This ae ae ae nicht
Oh lat me in this ae nicht
An' I'll speir back nae mair O.

I'll ile the door sae it be sweet
An' it'll neither chirrup nor cheep
For it'll neither chirrup nor cheep
An' I'll get slippin' in.

Oh it's lat me in this ae nicht
This ae nicht this ae nicht
Oh lat me in this ae nicht
An' I'll speir back nae mair O.

When he got in he was sae gled
He drew his bonnet frae aff his head
He kissed her on the cheeks sae red
An' the auld wife heard the din.

Oh but weel she likit that ae nicht
That ae ae ae nicht
Oh weel she likit that ae nicht
She lat her laddie in O.

When he got in he was sae gled
He knockit the bottom richt oot o' the bed
He stole the lassie's maidenhead
An' the auld wife heard the din.

Oh but weel she likit that ae nicht
That ae ae ae nicht
Oh weel she likit that ae nicht
She lat her laddie in O.

John Anderson, My Jo Robert Burns

John Anderson, my jo, John,
When we were first acquent,
Your locks were like the raven,
Your bonnie brow was brent;
But now your brow is beld, John,
Your locks are like the snaw;
But blessings on your frosty pow,
John Anderson, my jo.

John Anderson, my jo, John,
We clamb the hills thegither;
And mony a cantie day, John,
We've had wi' ane anither;
Now we maun totter down, John:
And hand in hand we'll go,
And sleep thegither at the foot,
John Anderson, my jo.

Donal' Don Trad.

Wha hasna heard o' Donal' Don?
Wi' a' his tanterwallops on,
For Oh! he was a lazy drone,
An' smuggled Hielan' whisky.

Hi-rum-ho for Donal' Don,
Wi' a' his tanterwallops on,
And may he never lack a scone
While he maks Hielan' whisky.

When first he cam' tae auld Dundee
'Twas in a smeeky hole lived he;
Whaur gauger bodies couldna see,
He played the king a pliskie.

When he was young an' in his prime,
He lo'ed a bonny lassie fine;
She jilted him an' aye sin' syne
He's dismal, dull and dusky.

A bunch o' rags is a' his braws
His heathery wig wad fricht the craws;
His dusky face and clorty paws,
Wad fyle the Bay o' Biscay.

He has a sark, he has but ane,
It's fairly worn tae skin an' bane,
A-loupin', like tae rin its lane
Wi' troopers bauld and frisky.

Whene'er his sark's laid out tae dry
It's Donald in his bed maun lie,
An' wait till a' the troopers die,
Ere he gangs oot wi' whisky.

So here's a health tae Donal' Don,
Wi' a' his tanterwallops on,
An' may he never lack a scone
While he maks Hielan' whisky.

Bonnie Wee Jeannie McColl

Joe Gordon

A nice wee lass, a bonnie wee lass,
Is bonnie wee Jeannie McColl;
I gave her ma mither's engagement ring
And a bonnie wee tartan shawl.
I met her at a waddin'
In the Co-operative Hall,
I wis the best man
And she was the belle o' the ball.

The very first nicht I met her
She was awfy, awfy shy,
The rain cam' pourin' doon,
But she was happy, so was I.
We ran like mad for shelter
An' we landed up a stair,
The rain cam' poorin' oot o' ma breeks,
But och I didna care: For she's . . .

Noo I've wad my Jeannie,
An' bairnies we have three,
Twa dochters and a braw wee lad
That sits upon my knee.
They're richt wee holy terrors,
An' they're never still for lang,
But they sit an' listen every nicht
While I sing them this sang: Oh it's . . .

An Eriskay Love Lilt

K. Macleod
M. Kennedy-Fraser

Vair me o – ro van o
Vair me o – ro van ee
Vair me o – ru o ho
Sad am I without thee.

When I'm lonely dear white heart
Black the night or wild the sea,
By love's light my foot finds
The old pathway to thee.

Thou'rt the music of my heart,
Harp of joy, oh *cruit mo chridh,*
Moon of guidance by night,
Strength and light thou'rt to me.

Mingulay Boat Song

Hugh S. Roberton

Hill you ho, boys; let her go, boys;
Bring her round, now all together.
Hill you ho, boys; let her go, boys,
Sailing home, home to Mingulay.

What care we tho' white the Minch is?
What care we for wind or weather?
Let her go, boys! ev'ry inch is
Wearing home, home to Mingulay.

Wives are waiting on the bank, or
Looking seaward from the heather;
Pull her round, boys! and we'll anchor,
Ere the sun sets at Mingulay.

The Birks of Invermay D. Mallet and A. Bryce

The smiling morn, the breathing spring,
Invites the tunefu' birds to sing;
And while they warble from the spray,
Love melts the universal lay.
Let us, Amanda, timely wise,
Like them, improve the hour that flies;
And in soft raptures waste the day,
Among the birks of Invermay.

For soon the winter of the year,
And age, life's winter, will appear,
At this thy living bloom will fade,
As that will strip the verdant shade.
Our taste of pleasure then is o'er,
The feather'd songsters are no more;
And when they drop, and we decay,
Adieu the birks of Invermay!

The laverocks now, and lintwhites sing,
The rocks around with echoes ring;
The mavis and the blackbird vie,
In tuneful strains, to glad the day.
The woods now wear their summer suits;
To mirth all nature now invites;
Let us be blythsome, then, and gay,
Among the birks of Invermay.

Behold the hills and vales around,
With lowing herds and flocks abound;
The wanton kids and frisking lambs
Gambol and dance around their dams;
The busy bees, with humming noise,
And all the reptile kind rejoice;
Let us, like them, then, sing and play
About the birks of Invermay.

Hark, how the waters, as they fall,
Loudly my love to gladness call;
The wanton waves sport in the beams,
And fishes play throughout the streams.
The circling sun does now advance,
And all the planets round him dance;
Let us as jovial be as they,
Among the birks of Invermay.

Katie Bairdie Trad.

Katie Bairdie had a coo,
Black an' white aboot the mou',
Wisna that a dainty coo?—
Dance, Katie Bairdie

Katie Bairdie had a cat,
She could catch baith moose and rat;
Wisna that a dainty cat?—
Dance, Katie Bairdie.

Katie Bairdie had a hen,
She could lay both but an' ben;
Wisna that a dainty hen?—
Dance, Katie Bairdie.

Katie Bairdie had a wean,
Widna play when it cam' on rain;
Wisna that a dainty wean?—
Dance, Katie Bairdie.

The Peat-Fire Flame
Kenneth Macleod

Far away and o'er the moor,—
Far away and o'er the moor,
Morar waits for a boat that saileth.
Far away down Lowland way.
I dream the dream I learned, lad,

By the light o' the peat-fire flame,
Light for love, for lilt, o' Grail-deeds,
By the light o' the peat-fire flame,
The light the hill-folk yearn for.

Far away down Lowland way,—
Far away down Lowland way,
Grim's the toil, without tune or dream, lad,
All you need's a creel and love
For the dream the heart can weave, lad,

By the light o' the peat-fire flame,
Light for love, for lilt, for laughter,
By the light o' the peat-fire flame,
The light the hill-folk yearn for.

Far away and o'er the moor,—
Far away the tramp and tread,
Tune and laughter of all the heroes
Pulls me onward o'er the trail.
Of the dream my heart may weave, lad,

Repeat each chorus.

Kishmul's Galley   Marjory Kennedy-Fraser

High from the Ben a Hayich
On a day of days
Seawards I gazed
Watching Kishmul's galley sailing
O hee oh hoo oh, fal oo o.

Homeward she bravely battles
'Gainst the hurtling waves.
Nor hoop nor yards,
Anchor cable nor tackle has she.
O hee oh hoo oh, fal oo o.

Now at last 'gainst wind and tide
They've brought her to 'neath Kishmul's walls.
Kishmul Castle our ancient glory.
O hee oh hoo oh, fal oo o.

Here's red wine and feast for heroes
And harping too, O he oh hoo
Sweet harping too, O he o hoo oh
O hee oh hoo oh, fal oo o.

Such a Parcel of Rogues In a Nation

Robert Burns

Fareweel to a' our Scottish fame,
Fareweel our ancient glory,
Fareweel even to the Scottish name
Sae famed in martial story.
Now Sark rins o'er the Solway sands
And Tweed rins to the ocean,
To mark where England's province stands—
Such a parcel of rogues in a nation!

What force or guile could not subdue
Through many warlike ages
Is wrought now by a coward few
For hireling traitors' wages.
The English steel we could disdain,
Secure in valour's station;
But English gold has been our bane—
Such a parcel of rogues in a nation!

O would, ere I had seen the day
That treason thus could fell us,
My auld gray head had lien in clay
Wi' Bruce and loyal Wallace!
But pith and power, till my last hour,
I'll mak this declaration:
We're bought and sold for English gold—
Such a parcel of rogues in a nation!

Dumbarton's Drums   Trad.

Dumbarton's drums they sound sae bonnie
And they remind me o' my Johnnie,
Such fond delight doth steal upon me
When Johnnie kneels and kisses me.

Across the fields o' boundin' heather
Dumbarton tolls the hour of pleasure,
A song of love that's without measure
When Johnnie sings his sangs tae me.

'Tis he alone that can delight me
His rovin' eye, it doth invite me,
And when his tender arms enfold me
The blackest night doth turn and flee.

My Johnnie is a handsome laddie
And though he is Dumbarton's caddie,
Some day I'll be a captain's lady
When Johnnie tends his vows tae me.

The Broom o' the Cowdenknowes Trad.

'O the broom, the bonnie, bonnie broom,
And the broom o' the Cowdenknowes!'
And aye sae sweet as the lassie sang,
I' the bucht milking the ewes.
'O I hae been east, and I hae been west,
And I hae been far o'er the knowes,
But the bonniest lass that ever I saw
Is i' the bucht milking the ewes.'
O the broom, the bonnie, bonnie broom.

She set the cog upon her head,
And she's gane singing hame.
'O where hae ye been, my ae dochter?
Ye haena been your lane.'
'O wae be to your eweherd father,
And an ill death may he dee;
He biggit the bucht at the back o' the knowes,
And a tod has frichtit me.'
O the broom, the bonnie, bonnie broom.

It fell on a day, a het simmer day,
She was ca'ing out her father's kye,
There cam' a troop o' gentlemen
A-riding merrily by.
'Weel may ye save and see, bonnie lass!
Weel may ye save and see!
For dinna ye mind that misty nicht
I was i' the bucht wi' thee?'
O the broom, the bonnie, bonnie broom.

Then he's leapt off his berry-brown steed,
And he's set that fair may on;
'Ca' out your kye, gude-father, yoursel';
For she'll never ca' them out again.
'I am the laird o' the Oakland hills,
I hae thirty ploughs and three;
And I hae gotten the bonniest lass

That's in a' the south countrie.'
O the broom, the bonnie, bonnie broom.

The Gallowa' Hills Trad.

Oh, I'll tak' my plaidie contented tae be,
A wee bittie kilted abune my knee,
An' I'll gie my pipes anither blaw,
An' I'll gang oot ower the hills tae Gallowa'.

Oh the Gallowa' hills are covered wi' broom,
Wi' heather bells, in bonnie bloom.
Wi' heather bells an' rivers a',
An' I'll gang oot ower the hills tae Gallowa'.

For I say bonnie lass it's will ye come wi' me
Tae share your lot in a strange country
For tae share your lot when doon fa's a'
An' I'll gang oot ower the hills tae Gallowa'.

For I'll sell my rock, I'll sell my reel,
I'll sell my granny's spinning wheel,
I will sell them a' when doon fa's a',
An' I'll gang oot ower the hills tae Gallowa'.

Will Ye No' Come Back Again? Lady Nairne

Bonnie Chairlie's noo awa',
Safely ower the friendly main.
Mony a he'rt will break in twa,
Should he ne'er come back again.

Will ye no' come back again?
Will ye no' come back again?
Better lo'ed ye canna be,
Will ye no' come back again?

Ye trusted in your Hielan' men,
They trusted you dear Chairlie.
They kent your hidin' in the glen,
Death or exile bravin'.

We watched thee in the gloamin' hour,
We watched thee in the mornin' grey.
Tho' thirty thousand pounds they gie,
O there is nane that wad betray.

Sweet the laverock's note and lang,
Liltin' wildly up the glen.
But aye tae me he sings ae sang,
Will ye no' come back again?

The Campbells are Comin' Trad.

The Campbells are comin', oho, oho!
The Campbells are comin', oho, oho!
The Campbells are comin' tae bonnie Lochleven,
The Campbells are comin', oho, oho!

Upon the Lomonds I lay, I lay,
Upon the Lomonds I lay, I lay,
I lookit doon tae bonnie Lochleven
And saw three bonnie perches play.

Great Argyle he goes before,
He makes the cannons and guns to roar,
Wi' sound o' trumpet, pipe and drum,
The Campbells are comin', oho, oho!

The Campbells they are a' in arms,
Their loyal faith and truth to show,
Wi' banners rattlin' in the wind,
The Campbells are comin', oho, oho!

The Men o' The North Sheila Douglas

The men o' the north are a' gane gyte,
A' gane gyte thegither o,
The derricks rise tae the northern skies,
And the past is gane forever o.

As I cam' in by Peterheid
I saw it changin' sairly o,
The tankers grey, stand in the bay
And the oil is flowin' rarely, o.

The lads frae the broch hae left the fairm
Aff tae the rigs they're rushin' o,
For ye get mair pay for an oil-man's day
So they heed na the ploo nor the fishin' o.

I met wi' a man frae Aiberdeen
That city aye sae bonnie o,
He said, 'There's a spree by the dark North Sea
An' an awfu' smell o' money o.'

What wad ye gie for the gowden sand
The whaup's cry in the mornin' o,
The rowan fair and the caller air
And the tide as it's gently turnin' o?'

The Queen's Maries   Trad.

Yestreen the Queen had four Maries,
The nicht she'll hae but three,
There was Marie Seaton, and Marie Beaton,
And Marie Carmichael and me.

Oh often hae I dress'd my Queen
And put gowd on her hair,
But noo I've gotten for my reward
The gallows to be my share.

Oh little did my mither ken!
The day she cradled me.
The lands I was to travel in
Or the death I was to dee.

Oh happy, happy is the maid
That's born o' beauty free
It was my dimplin' rosy cheeks
That's been the dule o' me.

Scots Wha Hae Robert Burns

Scots, wha hae wi' Wallace bled,
Scots, wham Bruce has aften led,
Welcome to your gory bed,
Or to victorie!

Now's the day, and now's the hour;
See the front o' battle lour;
See approach proud Edward's power—
Chains and slaverie!

Wha will be a traitor-knave?
Wha can fill a coward's grave?
Wha sae base as be a slave?
Let him turn and flee!

Wha for Scotland's king and law
Freedom's sword will strongly draw,
Freeman stand, or freeman fa',
Let him follow me!

By oppression's woes and pains!
By your sons in servile chains!
We will drain our dearest veins,
But they *shall* be free!

Lay the proud usurpers low!
Tyrants fall in ev'ry foe!
Liberty's in ev'ry blow!—
Let us do—or die!

Auld Lang Syne   Robert Burns

Should auld acquaintance be forgot,
And never brought to mind?
Should auld acquaintance be forgot,
And auld lang syne!

For auld lang syne, my dear,
For auld lang syne,
We'll tak a cup o' kindness yet
For auld lang syne.

And surely ye'll be your pint stowp!
And surely I'll be mine!
And we'll tak a cup o' kindness yet,
For auld lang syne.

We twa hae run about the braes,
And pou'd the gowans fine:
But we've wander'd mony a weary fitt,
Sin' auld lang syne.

We twa hae paidl'd in the burn
Frae morning sun till dine:
But seas between us braid hae roar'd
Sin' auld lang syne.

And there's a hand, my trusty fiere!
And gie's a hand o' thine!
And we'll tak a right gude-willie waught
For auld lang syne.